JN007881

パンデミック革命

合田周平ほか

Pandemic Revolution

小林喜光
大島正克
神田智夫
田中一雄
白山泰子
渡邊喜雄
渡辺利夫
松本美和子
茂木七左衞門
神山敏夫
吉田良夫
山口武彦
平山禎久
森村潔
岡村久和
須田万勢
安川明男
鈴木信孝
田島和雄
渡邉誠一
合田周平

幻冬舎

呼びかけの言葉〜パンデミック後の新たな時代を創る

合田周平

二〇二〇年、中国の武漢で最初に確認された新型コロナウイルス感染症は、国境や大陸を越えて地球規模で蔓延しました。社会的な身分や地位に関係なく発症し、特効薬に乏しく効果的な治療法も確立されていないため、多くの尊い生命が失われています。

葬儀を執り行うことも許されず、肉親や親交のあった人たちが、故人を偲び、別れの悲しみを共有する場さえも奪われている現状です。

まさに、パンデミックというべき深刻な様相は、人類にとって一〇〇年前のスペイン風邪以来であり、あるいはさらに悲惨な歴史的事態に展開する恐れなしとはいえません。

こうした事態に直面した結果、現代が「科学万能の時代」ではないばかりか、人類社会には致命的ともいえる落とし穴があることを、私たちは思い知らされています。この未知あるいは「未踏領域」の存在を正しく、冷静に解明するためには新たなる発想で行動しなければなりません。

私たちは、斬新な「思考法」を生み出して、これまで見落としてきた問題を提起する必要があります。その根本的解決のためのシナリオを創作し実践するという、責務を負わされているのです。こうした社会問題に興味をもつヒトは、過去の専門領域や、その業績に捉われることなく、新型コロナウイルスだけでなく歴史上の多様な「パンデミック」に想いを馳せて、人類の未知なる領域に関する情報を広く収集し、解決策を模索することが求められているのです。

国際社会においても、各国では政治的リーダーシップのもと、都市の「ロックダウン」などの施策が実行されてきました。しかし、その成果も確かなものとはなり得ない状況にあります。これらは、二一世紀において、それぞれの国家の命運を左右する試金石となるはずです。

新型コロナウイルス感染症は、以下のことを私たちに喚起します。ヒトとして生きるとはどういうことなのか？　またヒトが、快適な生活を築くのに欠かせない「絆」とは何か？　こうした、ヒトへのさまざまな問いかけは、新型コロナウイルスが大自然の創造主になり代わって、ヒトの生きる根源的な意味での「生存」と「生活」と「情味」と、その大切さに気づかせようとしているかのようです。

私は、この「気づき」から、ヒトの行為を左右する精神的態度（ある身体から、なす身体へ）を確立するために、多くの専門家の方々に考え方を提示して頂くことを考えました。「アフターコロナ社会」のV字型回復などの議論が、かまびすしいなかですが、大切なことは回復ではなく、新たなるステージの立ち位置を明示し構築することです。そのためには、これまでの〈発明や創意工夫〉という「ヒトの叡智」を改めて見直し、そこにヒントを求めることも必要となるでしょう。

この機会に、私たちは「ヒトと自然の微妙な関係」への理解を深めることで〈真理を究め〉、ヒトとしての生き方の基本を確立することです。ここでの〈真理〉とは、ヒトの「生命」を育み維持している自然界の流れそのもののなかにあるのです。

「アフターコロナ社会」では、ヒトとして真理に目覚め自己の感性を高めることによって、その能力を自由闊達に発揮し得るステージを実現することが求められています。こうした社会環境のなかでこそ、ヒトは他者を思いやる精神のもと「壮健な心身」を育み実感することが出来るのです。

私は学生時代からの十数年間、幸いにも実践哲学者「中村天風」に薫陶を受けました。先生は、米国留学に旅立つ私に「経験が思想となる」との言葉とともに「終始一貫」との色紙を贈ってくれました。いま思うと、その心は、ヒトが積極的に「パンデミック」と関わることで、独自の思想や哲学を獲得し、ヒト社会に斬新な改革をなしとげる、と解きます。

この精神態度は、必ずや「アフターコロナ社会」への「道筋」を示すはずです。そして、読者の皆様に「アフターコロナ社会を、どう構築するか？」という、自己の哲学を確立せんとする心意気が湧き起こることでしょう。

「パンデミック革命」は、ヒトが〈真理〉に目覚め、政治や経済や社会における「世界の構図」を、根本から創り替える活動でなければなりません！

合田周平

パンデミック革命　CONTENTS

装幀　石川直美（カメガイ デザイン オフィス）
本文デザイン・DTP　美創

序章

アフターコロナ社会への問題提起

小林喜光

（こばやし・よしみつ）：三菱ケミカルホールディングス取締役。1971年東京大学大学院修了後、ヘブライ大学留学などを経て、74年三菱化成工業（現三菱ケミカル）入社。2007年に三菱ケミカルホールディングス代表取締役社長、取締役会長を経て21年より現職。15年から19年まで経済同友会代表幹事。理学博士。

茹でガエルを目覚めさせたコロナ

水の入った鍋に入れられたカエルは、鍋の下で火を焚(た)いて徐々に水温が上昇しても、変化に気づかずそのままずっと鍋の中に留まり、そのうち茹(ゆ)で上がって死んでしまう。この茹でガエルの寓話は、急激な変化を回避しようとする個人、組織、そして国家に対する警句として長らく使われてきた。

茹でガエルを鍋から逃げ出させるには、カエルの天敵である蛇を鍋に入れてやればいい。私は、日本社会でその蛇にあたるのが、外圧や新進気鋭の起業家の登場かと想起していたが、事ここに至って今回のコロナ禍こそが蛇であることがはっきりしてきた。

過去の危機と、今回の新型コロナウイルス感染症との決定的な違いは、コロナ禍が世界中のあらゆる地域に広がっていることにある。政治体制、民族、宗教、性別、年齢の垣根を越えて分け隔てなく感染は広がり、しかも現実に命を落とす人を私たちは目の当たりにした。

新型コロナウイルス、さらに感染症全般の問題は、突き詰めると地球温暖化とそれに伴う森林破壊、凍土の融解、生態系の変化が少なからず影響を及ぼしている。私たちは、温室効果ガスの削減という長年の課題に今度こそ真剣に取り組まなければ、生命の危険という具体的な被害を受けることを痛感している。

失われた「国際秩序」を求めて

折しもコロナ禍の問題が浮上する前から、現代を経済社会システムの根源的な変化の節目と捉える学者は多かった。例えばイスラエルの歴史学者、ユヴァル・ノア・ハラリは、現代社会に従来の資本主義からデータ主義への変容を見る。インターネットの拡張、偏在、ＡＩ（人工知能）の進化により、データとアルゴリズムを握るごく少数者に、権力と富が寡占化される社会が出現していた。

それらからはじき出された人々は、「ベーシック・インカム」によって支えられなければならない、とするハラリの主張は、ダニエル・コーエン（フランスの経済学者）がＧＡＦＡ（グーグル・アップル・フェイスブック・アマゾン）時代との向き合い方を論じた著書『ホモ・デジタリスの時代』と、世界認識において共通する部分がある。

政治や統治機構の領域でも、過渡期的混乱状態が生じている。例えばトルコ出身の経済学者、ダニ・ロドリックは「政治的トリレンマ」説を主張する。「民主主義」「国家主権」

「グローバル化」の三つの同時追求は不可能と結論づけ、これらのうち二つを実現する三陣営が牽制しあい緊張関係にあるのが現代だとする。

EU統合が目指した理想が「グローバル化」と「民主主義」の実現にある一方で、「国家主権」と「民主主義」の実現は、EUを脱退した英国や米国の前トランプ政権、そして中国やシンガポールは「グローバル化」と「国家主権」の実現を是とする陣営である。私自身は、この「三体問題」で、曲がりなりにも三つをバランスよくこなしているのは日本だと思うが、いつ何どき、何がきっかけでそのバランスが崩れるかわからない。

二〇二〇年は、そこにコロナ禍という蛇が投げ込まれたことで、この混乱の中で持続可能な社会をいかに実現させるかという問題提起と、その最適解が急遽求められる節目の年になった。科学技術の進歩と地球環境の保全、健康で快適な生活を維持するために、私たちが世界をどう変えていくか。この問題に、個人、コミュニティ、企業、国家がそれぞれの立場で、哲学ある実現可能なシナリオを描くとともに実践しなければならないときなのだ。

企業としての行動指針を示す三つの座標軸

最適解を導くためのひとつの手がかりとして、三つの座標軸による新しい企業の行動指

図1　三菱ケミカルホールディングスのKAITEKI経営

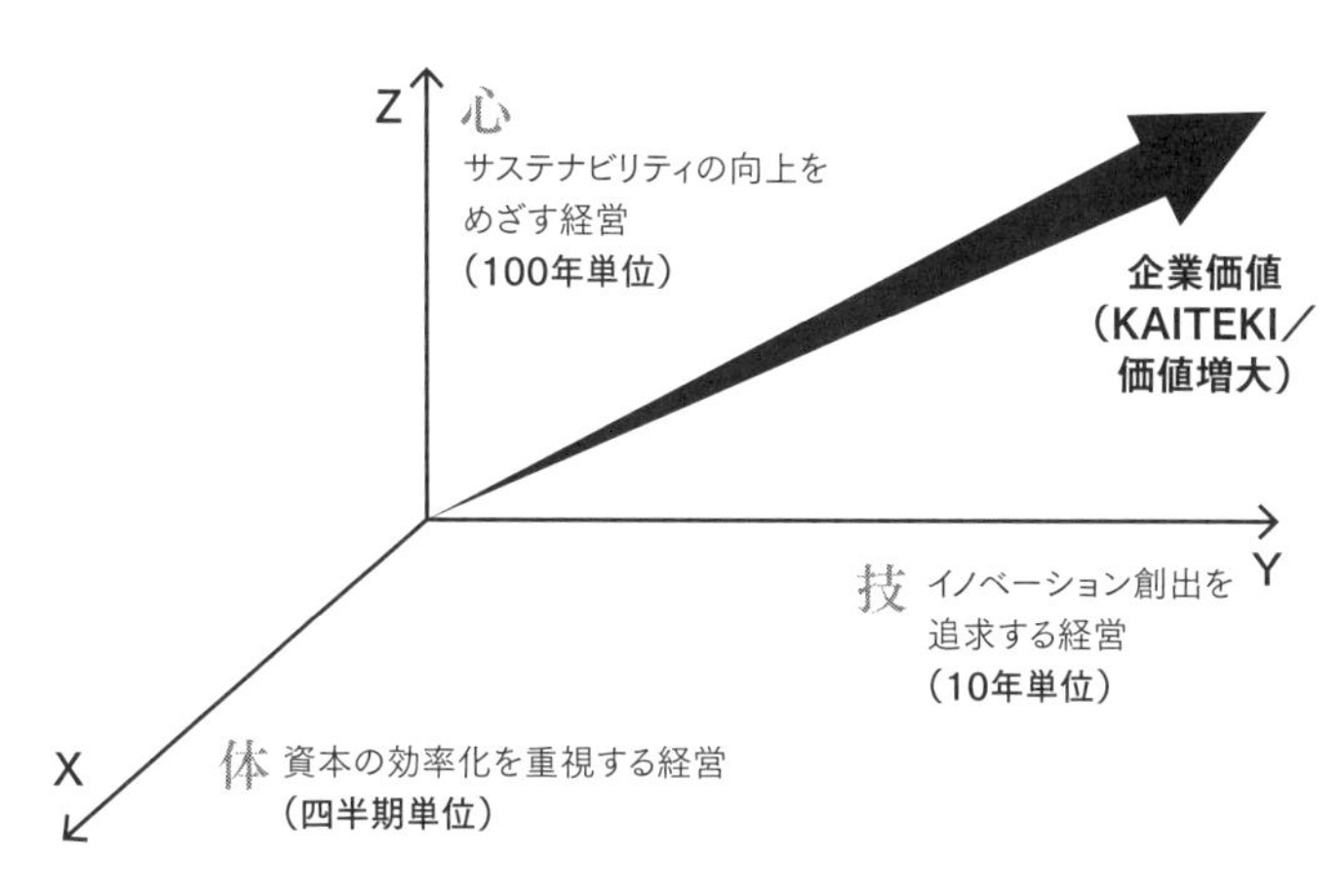

針の考え方を披露したい。上の図1は、二〇一一年から私たちの三菱ケミカルホールディングスグループ（以下MCHC）が掲げる提案を図式化したものである。

ポイントはこれからの企業価値を「心」「技」「体」の三つの座標軸からなるベクトルで表現したこと。この中で最も肝要なのは「心」の軸（Z軸）で、「サステナビリティ軸」と呼んでいる。「サステナビリティの向上をめざす経営」（Management of Sustainability＝MOS）で、社会性、公益性、地球環境への貢献などにつなげる企業行動を指す。

X軸は「体」で「経営学軸」と呼んでいる。「資本の効率化を重視する経営」（Management of Economy＝MOE）で、投下された資本を効率的に活用し利益を追求するという企業行動を指す。さらにY軸は「技」で「技術経営軸」(Management of Technology = MOT)であり、「イノベーション創出を追求する経営」で、技術的差別化により新たな社会的価値を提供する企業行動を指す。

従来型の企業価値とは、ここでいうX軸(経営学軸)、すなわち自己資本利益率や時価総額といった財務諸表で示されるものとみなされる。そしてそれは多くの場合、Y軸(技術経営軸)と正の相関関係があると考えられている。経営とは、「良い数字」を残すために技術やサービスを革新していくことと同義だった。

真の企業価値追求には一世紀単位の目線を

MCHCにおける二〇一一年の宣言は、この二軸的な象限にもう一本天地を貫く縦軸(Z軸)を置いた。この三軸の値をバランスよく上昇させ斜め右上のベクトルに向けて進めた先にあるのが、MCHCが追求すべき企業価値である。私たちは、その企業価値を「KAITEKI価値」と名付けた。

ところで、この三軸の取り扱いには難しい側面がある。それは各軸ごとの成果が顕在化するまでのインターバル(時間的な長さ)がバラバラだということだ。X軸(経営学軸)

は四半期単位、Y軸（技術経営軸）は一〇年単位、そしてZ軸（サステナビリティ軸）は一〇〇年（一世紀）単位、という開きがある。財務諸データを集約し公表する活動が四半期ごとに求められる一方で、企業活動が環境・社会課題の解決に資するに至ったと見極められるには一世紀を要する。実にこのことが、「企業価値」観が旧来型の「X軸とY軸」の発想に陥りがちな背景にある。「Z軸」（サステナビリティ軸）の真価は、一世紀スパンの時間を経過しなければ顕在化しない。一方で経営は四半期ごとの収穫をシビアに求められるからだ。MCHCでは、三軸をバランスさせるために、将来のあるべき姿を想定し、バックキャストさせ、達成すべき課題を設定する手法を中長期の経営戦略に取り入れている。

「重さのない」経済の台頭

三軸の中で企業としての具体的な事業活動に直接結びつくのは「Y軸」（技術経営軸）である。このY軸における価値の源泉の変化について示したのが次ページの図2である。

現代は、物質（a = atom）と非物質（bi = bit + internet）との融合や相互作用が、新しい価値を生む。これは実体やモノの存在を前提とする「市場経済」が、ネットを介して展

図2 「モノからコトへそしてココロへ」（付加価値の源泉の推移）

モノに代表されるリアルな空間

「重さのある」経済

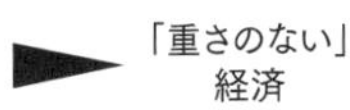

「重さのない」経済

ネットに代表されるバーチャルな空間

経済を測る尺度の変遷

市場経済 VS 「非・市場」経済（デジタルプラットフォーマー）
「非・貨幣」経済（デジタル人民元・暗号通貨）

モノ（有形・tangible）		→	コト（無形・intangible）		→	ココロ（波動）	
GDP（Gross Debt Product ?）			GNI+（Gross Data Product ?）			Well-being（KAITEKI）	
資産	資本		無形資産	Knowledge/ Social Capital?		行動変容	Mind Capital

開される「非・市場」経済、「非・貨幣」経済へと移行することでもある。私は、今日のこの環境を「『重さのない』経済」と称している。

そして、いまやX軸への影響力が大きいのは、Y軸の中でもこの「bi」の部分であることが、まさにコロナ禍を経て現実化した。例えば、二〇二〇年一二月末時点の企業の時価総額が、いわゆる「GAFA＋M」（グーグル・アップル・フェイスブック・アマゾン＋マイクロソフト）五社であわせて約七九〇兆円。日本の東証一部の同じ時点での全社合計の時価総額約七〇〇兆円を、はるかに超えている。

重さのない経済の台頭は、「a＝実体あるもの」の代表格であった自動車産業でも顕著に見られる。トヨタ自動車が、自動運転のためのＡＩや機械学習の研究所をアメリカ西海岸に設立する一方で、グーグルが自社で集積したデータと車載用のソフトウェア（アルゴリズム）開発力を武器に、自動車産業の中核に攻め込んできている。

デジタルトランスフォーメーションとポートフォリオトランスフォーメーションが進展するであろうアフターコロナの世界で、「クルマ自らが運転する」という新しい価値基準のもと、リアルとバーチャルが融合する分野で異業種間の競争が一層激化することが予想される。

国家としての価値戦略立案の必要性

重さのない経済の台頭や時価総額に見るコロナ禍の前と後における変化は、新しい価値基準に合致した企業が市場で高く評価されていることを意味する。では、企業ではなく国家として、どのような価値戦略を立てていけばよいか。三軸で企業価値を解析するという手法がここでも応用できる。

Ｘ軸に相当するのは「経済の豊かさの実現」。ＧＤＰ・可処分所得・失業率などのさまざまなスペックの底上げが含まれる。Ｙ軸は「イノベーションによる未来の開拓」で、日本政府は、AI、バイオ、量子技術の三領域を基盤にすると標榜している。そしてZ軸は「社会の持続可能性の確保」であり、温暖化対策とエネルギー問題の相克、地球環境といった分野に留まらず、手厚い教育・社会保障による格差の極小化、財政、安全保障など、あらゆる領域における持続可能性の追求に及んでいる。

コロナ禍の克服のため、政府は破格の財政出動によりX軸の凋落を回避する政策を採ってきたが、これはあくまで緊急の生命維持装置的な対策に過ぎない。ポストコロナにおいて、いかにX軸を安定成長させ、Z軸的な持続可能性を担保し、財政的にも均衡を保つのか。そのための国家としてのY軸戦略の構築が求められている。

煮え湯から飛び出しても、餌がなければカエルはいずれ死ぬ。その餌をアフターコロナの日本はどこに求めるのか。自動車産業を核とした、製造業のみに依拠するのではなく「重さのない」経営にシフトする。それにより富士山型ではなく八ヶ岳型の成長分野（ひとつが突出しているのではなく、いくつもの成長分野がある）を開拓することが必要ではないか。私自身はそのように見ている。

コロナ禍は一方で、テレワーク、オンラインミーティングの普及、オンライン診療の部分解禁など、デジタル・ルネサンスのトリガーになり得るプラスの副産物も生んだ。その先にある、デジタルトランスフォーメーション、ポートフォリオトランスフォーメーションなどの事業構造の変革や、シンギュラリティ（人間の脳の能力を凌駕（りょうが）するＡＩの出現）など、過去とは切り離された事業環境の出現を前提に、次の成長戦略を作らなければならない。

その際に、我が国ならではの貢献を図るならば、私は日本人が本来持つ原初的・根源的なメンタルな力にそのヒントを求めることができると思う。東日本大震災時に経験した「絆」、ジャック・アタリが唱える「利他主義」、空海の「自他兼利済」の教えなどメンタルな部分を再確認し、そこを出発点に「ＫＡＩＴＥＫＩ」価値のベクトルを引き直す。それにより、新しい価値を生み、地球に貢献できる日本の役割が果たせるのではないかと考えている。

第1章

変わる生活空間

社会の諸制度の見直しと、ヒトが活きる指針

大島正克

（おおしま・まさかつ）：亜細亜大学学長・理事。1981年3月早稲田大学大学院商学研究科博士後期課程単位取得満期退学。81年亜細亜大学経営学部助手、2015年亜細亜大学副学長、18年より現職。公認会計士試験試験委員、学校法人晃華学園監事など。17年日本管理会計学会功績賞受賞。

国際社会とのつながりの促進

今回のパンデミックでは、国際社会とのつながりとは逆の、国際社会との断絶という現象を生み出したが、将来、ヒトの往来が復活したとき、改めてヒトが往来する国際社会の素晴らしさに感動することになるだろう。生活に必要なモノは順調に流通していたし、マスメディアやSNSを中心に情報も順調に伝えられていた。食糧を中心に生活物資が安定

して供給されていることは、パンデミックの中にあっても、日本が国際社会と円滑につながっている証しである。しかし今後も襲ってくるパンデミックに対しては、思い切った社会の諸制度の見直しがこの機会に必要である。

危機管理教育の必要性

今回、新型コロナウイルス感染症蔓延（まんえん）に対する各国の対応があまりにも違うことに驚いた。

日本では強制というより自粛であり、自らの意思の結果が大きな力となった。それでもパンデミックを含む、危機管理教育の必要性を痛感する。

新型コロナウイルスによる犠牲者数が、日本は欧米とは桁違いに少ないことには、日本人の国民性としての衛生観念が大きく寄与していると思わずにはいられない。マスクや、挨拶としては奇異に見られる、おじぎが欧米世界でも見直されたことも、今回のコロナ禍の一つの所産である。

密集型から分散型へ

コロナ禍の中で、既に変化が顕在化している。都市における通勤電車の苦痛から逃れ、テレワーク（在宅勤務）を経験すると、もう元に戻れそうもない。仲間と話し合い、肩を並べて勉強や仕事をしたいことも事実だが、通勤・通学時間と通勤・通学費用が節約されるという利点も大きい。ヒトは合理的で便利な方に一旦動くと、なかなか元には戻れない。若者が地元に残る現象が、アフターコロナ社会でも維持されれば、地方の地域振興の第一の問題であった、若者がいないという問題の解決につながると大きく期待される。卒業後もテレワークでそのまま就職し、どうしても対面の仕事が必要なときだけ本社に出かけるという行動様式になるからだ。

本社も各機能を分散化させ、各地域に本社の一部（サテライトオフィス）を配置し、経営幹部はそれらの分散化した本社機能を束ね、現在の経営管理と将来に向けての経営戦略を考えればよいことになる。

都市に対する考え方が急激に変化してくる。すなわち、密集型大都市から分散型都市に対する注目が飛躍的に高くなったということだ。都市が、一局集中から地方に分散すれば地域振興は促進される。働く者にとって、テレワークという働き方改革も、学ぶ者にとってのオンライン授業も、地域振興に対する重大なインパクトとなる。コロナ禍のもたらしたよい機会である。

個人を伸ばすオンライン教育

大学教育におけるICTの重要性が学生にも教職員にも深く認識され、オンライン授業も必然的にかつ急速に導入された。以前から、予習用あるいはキャッチアップ用にオンラインで授業ができるシステムを一部入れてはいたが、実際には現状打破とはならなかった。オンライン授業の促進という観点からは、新型コロナウイルスの蔓延は大きな契機となっている。

オンライン授業のためのオンライン講習会にも、多くの教員が参加した。大袈裟にいうと、オンライン授業ができず、オンラインでの受講もおぼつかない教員は、時代に淘汰されることになる。

アフターコロナでは、大学教育も、実習演習科目のような対面が重要な科目は大学で対面式にて授業を行い、通常の知識獲得型の授業はオンライン授業となる可能性は十分にある。このコロナ蔓延の中で、かなりの学生が課題の多さに悲鳴を上げるほど勉強をするようになった。さらに、アフターコロナでの大学での知識獲得型オンライン授業は、大学間協定の下での相互オンライン授業となり、いわゆる教養科目（共通教育）の大学間の共同化が進むと予想される。現在、オンラインによる大学入学前教育が大手予備校を中心に行われるようになってきている。既に英語専門学校あるいは海外の大学によるオンラインでの大学授業委託は始まっている。現に本学でも令和二年度からオンライン留学と称し米国の大学にオンラインでの英語授業を委託し一部単位化しているが、アフターコロナでもさらにオンライン留学を拡大する方針でいる。

オンライン授業にて基礎知識を十分に習得した後、各大学では対面授業で討論し考えを深めるという反転授業や、個々の学生の問題意識を伸ばす演習に力を入れるようになる。本学もそうだが各大学も、オンライン授業をきっかけとして大学全体のＩＣＴ化に対する投資と、個人の力を伸ばすための教育改革はコロナ禍を機に今後も続くだろう。

パンデミックに備える社会制度

今後も起きるパンデミックに備えるために、思い切った社会制度の見直しを提案する。

（1）パンデミック対策積立金の創設

二年間売上高がゼロでも、従業員に通常の給料が支払えるだけの現金を積み立てておく会計制度を創設することが望まれる。今後も、パンデミックになれば、まず、隔離・検疫・都市封鎖である。企業からすれば、営業停止状態になる。従業員を解雇すれば、ますます世の中は疲弊する。しかし、給料が確保されていれば、落ち着いてパンデミックに対応できる。まず、自社は自社の力でパンデミックに立ち向かわなければならない。

経済的に見れば、その積立金分だけ負担が増えるし、流動性も悪くなるという批判がでることが予想される。しかしながら、アフターコロナの社会では経済を効率性だけで見ることはせず、長期的安全性の観点から見るという価値観の転換が促進されるであろう。

今回のパンデミックで倒産した企業は、内部留保が脆弱だった企業である。日本企業は、それでも、まだ、欧米企業に比べれば、内部留保は充実している。株主中心主義では、利益の大半は留保することなく、株主に配当金として企業の外に出ていってしまう。したがってパンデミックに対しては、直ちに従業員のレイオフや解雇で対応することになる。確かに日本でも、中小企業では解雇はあるが欧米ほどではない。政府もそれなりに対応しているが、自ずと限界はある。次なるパンデミックに備えアフターコロナでは企業の大小を問わず、「パンデミック対策積立金」を用意しておくことが望まれる。促進のためには、その積立充当分を非課税にすればよい。

従業員にとって、パンデミックが発生しても二年間、給与の確保が事前に保証されていれば、直ちにパニックに陥ることなく冷静に対処できるはずである。パンデミックにおける、新たなビジネスチャンスを掘り起こす英知も生まれてこよう。歴史的事例を見ても、二年程度でパンデミックは終息している。パンデミック後の世界も視野に入れ、落ち着いて対応できる環境が形成されよう。

(2) パンデミック対策保険制度の創設

企業ではなく一般人への対策である。二年間の生活費を保証する「パンデミック対策保険制度」の創設を提案する。普段から、少しの保険金を掛けるのである。この保険金で、すべて賄おうというのではなく、パンデミックが起きたときに、政府からの振込先を確定するためである。普段から、振込先を確保しておけば、今回のような急な援助も円滑に手元に届くことになる。そのための準備であり、決してパンデミックのための蓄えを目的としたものではない。

(3) 規制緩和

地域振興とは、ヒトがその地域で生活することに始まる。それには、海外に進出した日系企業の本国復帰が何よりも必要である。各地域に、企業が海外から回帰してくれば、それだけ職場が増えヒトが集まることになる。

日系企業が海外進出した動機として、日本の税制をはじめとした規制が厳しすぎるからという理由もあった。現在、日本政府は中国からの日系企業の帰国を促進している。コロナ禍をきっかけに、日系企業が海外から回帰し地域振興を促進するためには、企業活動がしやすいように規制緩和あるいは規制撤廃を行うこと、そして何よりも法人税率の切り下げが必要である。

(4) ＩＣＴを活用した教育の推進

最近の文部科学省は、大学に対しいろいろな場面で特別措置を認めてきたが、アフターコロナになっても、すべて元に戻すのではなく、是々非々で対応することが望まれる。オンライン授業に対しては、卒業要件の六〇単位を上限としない措置がとられた。

アフターコロナになっても、次のパンデミックがやってこないとも限らない。そのときになっても、直ちにオンライン授業に切り替えられるように、普段からオンライン授業に慣れておく必要がある。そのためには、文科省のオンライン授業認定単位数規制を弾力的に運用できる余地を残しておくことが求められる。また、オンライン授業を弾力的に認めることで、創意工夫がなされ様々なテレワーク用のリテラシーも身に付けることが可能となる。

文科省によるＩＣＴ活用の教育も、単に慣れるだけのオンライン授業ではなく、新しい授業形態の一部として認めることで、大学教育そのものも発展する。次世代のための教育そのものが、日本の運命を左右するといっても過言ではない。

この際、教育制度の見直しも重要な課題である。ＩＣＴ教育は、初等教育や中等教育ではかなり進んでいるが、大学教育では遅れていることに気づく。文系と理系との垣根を取り払い、文理融合で推し進めなければならない。

ヒトが活きる指針

今回のコロナ禍から、我々は次世代に何を残すかを考えなければならない。大きくは、社会制度の見直しであり、個人のレベルでは、ヒトが希望を持って活きる指針を用意することである。社会の諸制度の見直しには、多大なエネルギーが必要となるが、よい機会でもある。

まず、できるところから始める。前述したように、パンデミックでも経済的に安心できるための（1）パンデミック対策積立金の創設と（2）パンデミック対策保険制度の創設が挙げられる。地域振興のためには、日系企業の日本回帰を促す新興国並みの（3）規制緩和が求められる。そして、ヒトが活きる指針としては、Society 5.0時代を生きる次世代のための（4）ＩＣＴを活用した教育の推進である。さらに、自分が「ＩＣＴの専門家」になるという心意気は、何をおいても必要な指針だと考える。

拡大するネット
溶ける絆

神田智夫（かんだ・ともお）1952年埼玉県生まれ。75年電気通信大学電波通信学科卒。同年テレビ東京入社。2001年テレビ東京デジタル放送推進部長。08年テレビ東京ダイレクト常務取締役。

ヒトははるか昔から、食料や他人との接触、情報を求めて移動してきた。現代でも、ヒトと出会い、多くのモノを見て、新しい知識に触れ感動する。時を経て、移動のスピードが上がり、それに伴い移動距離も飛躍的に伸びてきた。さらなる夢は、瞬時に移動するワープがある。ワープなど、想像の産物かもしれないが、実はすでに現実になっているのだ。インターネットという道具によって……。

ネットが溶かす絆と取り残されるもの

・インターネット通販

インターネット通販の初期のころは、信頼できる店舗で販売している書籍、CD、家電製品などと、テレビ通販などでしっかり説明されたもので、やはり信頼できる販売元の商品を、道具としてのインターネットでも購入できるというものであった。

しかし現在は、全国に販売ルートをもたない地方の小さい製造元や販売店もネット上に店を開き販売しており、このため様々な特色ある商品を買うことができる。試しに自分の欲しいものを検索サイトで入力して検索してみると、聞き覚えのあるメーカーのものから聞いたことのないメーカーのもの。また、安いものから高いものまで多くの商品を見つけることができる。

これは、実際に行くことのできる実店舗ではありえない程の種類である。あとは自分に合うものをじっくりと選ぶだけである。実店舗のように店員にせかされることもなくとても快適に買い物ができるのである。「購入」ボタンを一押しすると、翌日には手元に届く。なんと便利な世の中であろうか。自分が時空を超えて全国各地の店に買い物に行けるのである。

問題は、信頼できる店なのか。本当に材質、大きさ等自分が欲しかった商品なのか。これらを判断する力である。実店舗であれば、祭りの夜店でもない限り、店が翌日にはなくなっていた、ということはないであろうが、ネット上では一瞬でいなくなることもできる。

・ソーシャルメディア

ソーシャルメディアとは何か？　メディアというからには情報を伝える道具である。情報を伝える道具としては、個人から個人に情報を伝達するものは手紙、電話、メールと進化してきた。また、ニュースなどを世の中の大勢に情報を伝達するのは、新聞、ラジオ、テレビと変化してきたマスメディアである。そこに、インターネットをベースとしてn対nで情報を交換できる道具ができた。これがソーシャルメディアである。これは誰でも見ることができる大きな掲示板で、何か思ったことを書き込むと、誰かがそれに対して意見を述べてくる。そして多くの人で一つのテーマについて議論ができるのである。

もともとn対nの情報交換と言えば井戸端会議ではなかろうか。数人が集まって、いろんな話題についてあれやこれやと言い合う。ソーシャルメディアはその規模が何万人、何十万人、何百万人にも上る井戸端会議である。言葉さえわかれば世界中の井戸端会議に首を突っ込むことができる。

・Ｗｅｂ会議

以前から、オフィスとオフィスを回線でつなぐ「テレビ会議」はあったが、技術的な問題、コスト的な問題により、あまり日常的には利用されていなかった。しかし近年は、インターネットとソフトウェアの進化により、簡単に接続し打ち合せることが可能になった。

しかし、社会的な慣習によりあまり利用されているとは言えなかった。ここでいう社会的な慣習とは、「会議は、顔と顔を合わせて会議室で行うもの」とか「ヒトと話をするのに会いに来ないのか」という慣習である。会議に参加する個人としては「Ｗｅｂ会議」で伝えたいと思っても、多くの人の慣習がそれを認めない空気があった。

ところが、今回のコロナ禍でそれが一変したのだ。緊急事態宣言以降、多くの会社が社員の家庭のＰＣにＷｅｂ会議ソフトを導入してオンラインでの会議を取り入れたのである。

新型コロナウイルス感染の恐れがあるため通勤してはいけなくなり、打合せは社員の家庭から接続したＷｅｂ上の会議室で行う、となったのである。そして、Ｗｅｂ会議・テレワークで多くの仕事は成り立ったのである。営業の業務でさえ、Ｗｅｂ会議で打合せをして、見積もりを作成・訂正しメールで送った方が早くて効率がよい、と顧客の側も考えたのである。なんという変化であろうか！　社会的な大転換は、世界中がひっくり返るような大きな事件が起きたときに可能となる。

・ネット社会における規制

コロナ禍の社会で驚いたことがある。行政におけるＩＴ化の遅れだ。民間企業では数十年前からＩＴ化が進み、今ではほとんどの情報が電子的に交換されている。一部残されているのが、紙による保存や印鑑の押印などで規制されている会計業務程度である。しかし行政では、外部とのやり取りはもちろん内部の情報流通も紙とＦａｘなのである。

先日、市の防災課による水害対策メール網の構築にあたり、責任者としてメールアドレスの提出を求められたが「紙に書いて郵送してください」とのことだった。本人の印鑑を押した紙を残す必要があるらしい。この時代遅れの行政システムは、国の肝いりで大幅に改革される方向で、今後が楽しみである。

もう一つが「オンライン診療」である。これも新型コロナウイルスの病院内での拡大を防ぐために初診も含め認可されたが、患者ファーストというよりは病院の医療崩壊を防ぐためだったのではないだろうか。拡大がやや落ち着きをみせると再び限定化の方向である。

基本的に初診であれ再診であれすべての診療を、患者が望む場合にはオンラインとし、診察した医師の判断により来院・対面診療を促すかどうかを考えればよい。今や、ウェアラブル端末の進化により、常に体温や血圧を測定することができる。これらのデータもオンライン診療では利用可能となる。

行政と医師（医師会）としては医療ミスが発生する危険性は一つでも排除したいであろうが、素早いオンライン診療で救われることもあるのではないだろうか。

これからの社会のあるべき姿

ここまで、コロナ禍の真っただ中にある現状において、インターネットが特徴的に利用されている四項目について見てきたが、半年、一年後のコロナ禍終息のときに、これらは以前の姿に戻るのであろうか。いや、一度社会が大きく変化、進化したからには簡単には元には戻らないであろう。

一方、混乱時の急場しのぎの感がある現状のままでは、どこかにひずみが生まれるのではないかと思われる。すでに見られるヒトとヒトとの接触不足による「コロナ鬱」などがそれである。いまだ自由に行動できない状況の中で、今後の社会のあるべき姿を構想することは重要である。

・メディアの変遷

情報を伝えるメディアとして長年役割を担ってきたのは新聞とラジオ、テレビである。一方通行ではあるがラジオ、テレビは国の認可のもと、信頼できる情報の発信と娯楽を提供してきた。

その既存のメディアに対し、新たに台頭してきたのがインターネットで、新聞と同様に文字と写真の情報から始まり、今ではテレビに負けない量と質の動画を見ることができる。そしてそれがインタラクティブでありオンデマンドであるという点では、新聞＋テレビをはるかに凌駕（りょうが）するものになった。

しかし、情報の提供元が限られ、信頼できると思われている新聞とラジオ、テレビに比べ、インターネットは誰でも自由に発信できる場である。このため情報の真偽については、情報を得る側がしっかりと判断しなければならない。もっともテレビも草創期には、動く映像に対する驚きとともに、面白おかしい情報に対して「テレビを見るとバカになる」などと言われたものである。だが今では私たちもテレビの情報の受け止め方、利用の仕方も上手になっていると思う。同様に、いろいろな経験を通してインターネットの使い方もうまくなっていかなければならない。

・メディアの特徴

新聞、ラジオ、テレビ、インターネット。すべてのメディアは情報を提供する。情報を提供するメディアとしては情報を途切れさせることはできない。空欄のある新聞や黙っているラジオ、テレビ、情報が一ヵ月も変わらないインターネットサイトなどは聞いたことがない。常に隙間なく新しい情報を送り出してくる。

そのシャワーのように溢れ出てくる情報を浴びていると、人は自分の心で何かを摑むとか自分の頭でとことん考えるということをしなくなる。飛び込んでくる情報に対して次々と反応するだけになる。確かに人は何かに反応して、考え、何かを摑むものであるが、じっくり考える間もなく次々と情報が溢れてくると、単に情報を認識するだけで考えなくなる。危険なことである。

・ヒトとの繋がりとは

昔は、ヒトと会うことで情報を得てきた。しかし、徐々に情報を得る手段が多様化してくると、会わなくても必要な情報は得られ、暮らしに困ることはないと思われるようになる。さらに前に述べたＷｅｂ会議のように他人の顔を見ながら話していると会っていると勘違いしてしまう。

しかしメディアの特徴でも述べたが、メディアというものは常に情報が流れているという思い込みが根底にあるためか、Ｗｅｂ会議に於いて誰も話していないと急に不安になる。どうしたのかと。今までの集まって行う会議では、皆が黙って考えていてもあまり違和感はない。皆、真剣に考えているのだろうと思える。この違いは何だろう。この違いをはっきり認識して仕事のやり方、生活の仕方を考えなければならないと思う。

・ヒトの情味の大切さ

インターネットの進化によって、ヒトは素晴らしい道具を手にしたと言える。

一方、基本的な社会生活として、通勤・通学などの移動をコロナ禍の現状のようにほとんどなくしてよいのであろうか。職場は必要な情報を伝える会議だけの場ではない。学校は必要なことを学ぶ授業だけの場ではない。

なにげなくヒトの顔を見たとき、すれ違ったとき、世間話をしているときなどに、ふっと思いつくこと、ひらめくことがある。これがヒトが集まることの一番重要なことではないだろうか。ヒトの交流には余白のようなもの、何もないと思われるような「空の時間」が大切なのである。そのとき、ひらめきや予期しないものの発見がある。

インターネットでは、すぐそこにヒトがいるかの如く会話をすることもできる。しかし、そこに実際にヒトがいるのとは何かが違うのだ。実際に会っているときは、そのヒトの発する声（音）も表情（光）も空気の振動が伝えてくる。ヒトの気配を実感している。

その空気の中には、さらに何かが含まれている。それはそのヒトの情味というものではないだろうか。情味とは、微妙な表情から伝わってくる人間らしい温かみや感情や愛情などである。これらが、電気信号にしたときに抜け落ちるのである。

この情味の交換がないがゆえに、Ｗｅｂ会議、Ｗｅｂ面接、Ｗｅｂ授業などで情報を伝達（データのみの〈情味なき情報〉）してもどこかむなしいのである。その、むなしさの積み重ねが、ヒトのこころに「鬱」を誘うのだ。

今後、コロナ禍が終焉したときには、効率的な情報交換の道具としてインターネットを活用する場面と、ひらめき・気付きを生む情味の交換の「場」の組合せを考えて、社会生活の再構築を図るべきと考えている。

「時の淀みを超えて」
～アフターコロナ社会がもたらす価値変革

田中一雄（たなか・かずお）：ＧＫデザイン機構代表取締役社長／ＣＥＯ。東京藝術大学大学院美術研究科デザイン専攻修士課程修了。ＧＫ設計代表取締役社長、ＧＫインダストリアルデザイン代表取締役社長を経て現職。２０１３年より日本インダストリアルデザイン協会理事長。日本デザイン振興会グッドデザイン・フェロー、世界デザイン機構（ＷＤＯ）アドバイザー。グッドデザイン賞、ドイツレッドドットデザイン賞、オーストラリア国際デザイン賞など、国内外の審査員を歴任。インドAjeenkya D Y Patil 大学名誉博士。技術士（建設部門／建設環境）。

「心の価値」を求めて

「Do not go gentle into that good night／穏やかな夜に身をまかすな」は、英国の詩人ディラン・トマスの有名な作品であり、死に瀕した父にあてた生命のエールである。この詩は、気候変動による人類滅亡の危機からの脱出を描いたSF映画『インターステラー』（クリストファー・ノーラン／監督）において、度々引用されている。『インターステラー』は、絶望的な状況下から、殆ど実現不可能な人類存続への挑戦を描いたものであるが、出口の見えない新型コロナウイルスとの闘いを続けてきた人々の姿と重ならなくもない。

それは、死者の復活を意味する「ラザロ」と名付けられた計画の物語であり、人類の惑星間移住、もしくは冷凍受精卵による種の保存を目指した壮大なストーリーであった。映画では、緻密な物理学を裏付けとして作成され、人類では絶対に解明不可能と考えられた重力制御理論に、「何者か」の力によって「解」が導かれる。漆黒の闇に沈むことなく、一点の光を求めて人類は進んでいく。

こうした意志の力を、今私たちは持とうとしているのではないか。コロナ第一波で医療崩壊を起こし、続々と人々が亡くなっていく中で葬儀すらままならない状態となったイタリア。その時、一市民の発した言葉が深く印象に残る。

「これを乗り越えた時、私たちはより高次な存在となれるのだろうか」

これは、人間そのものの変革を示唆していることであるが、コロナ終息後の世界は、それ以前の世界への回帰ではないだろう。二〇世紀、いや二〇世紀に至るまでの人類が作り上げてきた社会の規範が変革しようとしている。いまこそ、人類はどこへ行こうとしているのか、それが問われている。恐らく、その答えは私たち自身の心のなかにあるに違いない。

このことは、世界屈指の総合デザイン会社であるＧＫデザイングループの創設者「榮久庵憲司」が提唱した、「心の価値」を再び見直すことにもつながっている。

コロナはルネッサンスをもたらすか

新たな夜明けを迎えた時、私たちはこのコロナ禍で学んだ変化を糧に、新しい社会を生み出そうとしている。社会を凍らせたコロナ禍は、デジタル社会の劇的な推進力となった。このことによって、二〇世紀が作り上げてきた社会生活のモデルが、必ずしも必要ではないことを知った。新しいモデルとは、満員電車に詰め込まれて通勤することや、大都市の高層ビルに定時出社し、必死に働くことを必要としない社会モデルだ。私たちは「違う選択肢」があることに気づいたのだ。そして、それを支えるものが「ＤＸ（デジタルトランスフォーメーション)」ではないだろうか。

更に私たちは、デジタル社会構築の目的が単に「問題解決」だけではないことに気づき始めている。社会経済活動は「義務的な問題解決」の先に、「人間的な本来性」へと向かうのではないか。地球温暖化問題を例にとれば、脱炭素社会のために自動車は電動化され、あらゆる社会システムの再構築が進んでいる。このことは望ましい問題解決なのだが、どこか義務的な感覚が伴わなくもない。それは、本当に私たちが望んだ、喜ばしい世界なのだろうか。これまで、世界は常に問題を解決しようとし続けてきた。いうまでもなく、世界は問題に溢れているからだ。

その集大成ともいうべきものがSDGsかもしれない。人類社会の持続性のために、あらゆる人々の生命と人権を守るために、私たちは問題解決に邁進している。このことは、全くもって正しく、その推進力として「イノベーション」があることは間違いない。私たちの課題を「イノベーション」によって「ソリューション」を導き出し、「ビジネス化」することが主流となった。そしてデザインは、その推進力としての「創造性」に期待されている。

しかし、今回のコロナ禍は、本当に「それだけで良いのか」ということを深く問うているように思えてならない。勿論、問題解決は必須であるし、ソサエティ5・0が描く便利な社会が、待ち望んだ「未来」であることは間違いないだろう。これまで人類は二〇世紀を超えて、より良い未来を求めて前進し続けてきた。だが、コロナ禍の後には、それだけではない選択肢があるのではないか。科学技術を用いた義務的問題解決によって、理想的社会を構築することだけではない未来が見え始めている。それは、人間の本来性に基づく「新たな叡智」かもしれないし、「懐かしい未来」なのかもしれない。

「問題解決」によって、望ましい安全・快適・便利を獲得しようとする私たちは、更にその先にある「人間性の回帰」に気づいたのではないか。それは、コロナという問題によって、全てが止まった時に、「わたくしとはなにか」を考えることができたからだろう。これは二一世紀におけるルネッサンスと言えるのかもしれない。常に高みを目指し続けてきた人類が、漸くコロナという「何者か」の力によって、自らの本来性に目を向けることが出来たのだ。コロナ禍とは、そうした人間の自然なあり方や、人と人の心のつながりへと向かう「もう一つのシンギュラリティ（特異点）」だったのではないかと思えてならない。

明日へ漕ぎだそう

私たちはコロナ禍という「淀み」の中にいる。二〇二〇年から始まったパンデミックは未だ終息が見通せず、世界は度重なる感染拡大に苦しめられている。この原稿を書いている時点では、日本でもワクチンの接種が進み始めているが、社会経済の復活には更なる月日を必要とするに違いない。

これから、私たちは「人間的な本来性」を獲得することが出来るのだろうか。横山大観が「生々流転」に見事に描いたように、時の流れは静かな源流から始まり、やがて急峻な流れとなり、さらに大河となっていく。しかしコロナ禍を迎え、時は淀み、社会は凍った。深く長い夜を私たちは過ごしている。

だが、朝の来ない夜はない。「淀み」の時はやがて終わる。その時私たちは、明日の大海へと向けて漕ぎだすのだ。

テレワーク時代の人材育成

白山泰子（しらやま・たいこ）：アイコール取締役。1967年神奈川県生まれ。短大卒業後、金融機関に就職。結婚、出産などを経て夫の起業後、経営に参画し、現在はWEBシステム開発をはじめブロックチェーン開発を手掛ける。

他力本願をやめたお告げ

元旦、神社に初詣し、おみくじをひいた。まさかの「凶」であったが、「他力本願はやめよう」との文章に魅せられた。それが、頭の中で歌の歌詞のようにリフレインする。「私は人生を、流されるままに〈他力本願〉で生きてきたのではなかろうか？」。こうして私の、コロナ禍の二〇二一年が始まった。そしてパンデミックを生きぬく力を獲得し、言霊を発信しようと思っている。

私は長きにわたり、会社を経営してきた。経営にトラブルはつきもの。そのたびに、それに立ち向かい、解決に向けて努力もしてきた。すると、思いもかけないところからの助けがあり、一気に解決することが幾度となくあった。いつの間にか、トラブルが起きても「何とかなるだろう」という泰然とした気持ちさえ身についていたかもしれない。

ところが、今回の新型コロナウイルス感染症では、なすすべもなく、何ともならないという場面の連続であった。わが社では、グループ全体で毎年一〇名程度の新卒者を迎える。しかし、コロナ禍で入社祝いの懇親会もなく、彼らには、いきなりテレワークでの研修を課すこととなってしまった。

テレワークをポジティブに捉える世代

何とか頑張って研修を終えても、現場に配属されるや「テレワーク」での業務スタート。私は経営者として、彼らに対し「辛い思いをさせて申し訳なかった」と、暫くして労（ねぎら）った。しかし、驚いたことに、彼らからは前向きな感謝の言葉が多く聞かれたのだ。

「研修中、ＰＣ画面越しでも先輩からの指導は分かり易く、理解することができた」「人間関係にも問題はなく、会社の雰囲気に馴染むことができた」というのだ。新卒者同士の交流を観察していても、ＰＣ画面越しであっても、仲間意識や親しさの芽生えを感じた。

それは、若い世代にとって、ヒトとヒトとの交流は、ＰＣさえ扱えれば環境に左右されないという気づきであった。ＰＣを使うデスクもなく、たとえダンボール上にＰＣを置く作業環境であったとしても、あるいはそれが相手に見えていてもＯＫ！　相手がどう思うかなんて、お互いに気にしていないのだ。こういった場面を目の当たりにするたび、私は、コロナ禍であっても、ヒトは進化しているのだなあ、と感じ入ったのだった。

二〇二〇年のコロナ禍の前に結婚の報告と披露宴の案内、そして祝辞の依頼も頂き、こちらも楽しみにしていたが、延期が二回続き、そしてようやく二〇二一年実現する事例が二件もあった。

しかし、決して悲観的ではないのだ！　準備期間が増えたので、さらに凝った披露宴になったという話もあった。披露宴の延期で、その準備期間が増えたことで、さらに愛を育む楽しい時を過ごすことができたという。

さらにコロナ禍をきっかけに、家でお酒を飲みながら映画を楽しむことが趣味だった社員が、賞与でキャンプ用品を買い揃え、自然の中で楽しく過ごしている話なども聞き、私の方もワクワクしている。

個性を表現し、自分なりの快適さを

私は、コロナ禍のおかげで「自分の個性を表現し、現状を受け入れて自分なりに快適に生きる」という生活の知恵を若い社員達から学んだ。コロナ禍は、騙しだましやり繰りする日々の連続ではなく、ヒトによるヒトのための職場改善の機会にもなっているのだ。

ここで、気づいたことがある。「他力本願」というのは、自分が行動する座標軸が、従来からの〈しがらみ〉に左右されていたということではないか？　コロナ禍は、「こうでなければならない」との日常的な思い込みや、しばりからの解放をヒト社会にもたらしているのではないだろうか？

もちろん、医療従事者の方々や、直接コロナ禍に影響された人たちの苦労は想像に絶する。しかし一方で、この日常の思考面での変化を、コロナ後のより良い生活のために活かせるはずではないだろうか。

夜明けはあるのか？

如何なる術(すべ)や行いも、コロナ禍には敵わない。著名な方があっけなく亡くなり、悲しみを共有する葬儀さえも許されない。ヒトが生きる基盤である「命」が、いつまでも続くという、希望的な感覚があっけなく打ち砕かれた。

これからは、後悔する人生は送るまいと心に誓うことにした。明日が来る、と当たり前に考えるのもやめよう。やりたいことは、「いつか」ではなく、すぐにやってみる。年齢などには全く関係なく、大事な人には苦言を呈することがあっても、相手のことを思って心からの言葉の花束をプレゼントする。「喜びは、常に苦しみの後に訪れる……」という一節がシャンソンにもある。

二〇二〇年は、『鬼滅の刃』が大ヒットした。この作品が何故、こんなに多くの世代のヒトを感動させるのか？　ということを私なりに分析した。すると、人間が本来持っている、他者への思いやり、利他の精神。さらに、日本人独特の成敗はしても最後に悪者への情をかけること。そして、何よりも美しい、人を鼓舞させる言葉がちりばめられていることなのだと思う。まさに「言霊」の存在だ。さらに、何といっても、登場人物たちがまとっている衣装の日本独特の美しさや、魔除けの意味もある着物の柄や色。先輩方には懐かしく、若い世代には、新鮮に映ったのであろう。

「陸の時代」から「海の時代」へ

わが社は、M&Aによってビジネスの幅を広げている。対象となる企業は、本業にマッチした業種に絞ってはいるが、M&Aではシナジーが肝要だ。それぞれの会社には企業文化があり、前経営者が育んできた社風や手法が多くの領域に存在する。さらに、潜在的な不満も多く見出せる。

このコロナ禍以降を見通しても、従来以上に一人一人が自由闊達に個性を発揮して、会社を買収前よりも良くしなければならない、と襟を正す思いだ。そのためには、今まで心地よかった慣習を、断つ勇気を持つべきと感じることもある。社員が、自分の持てる力を発揮し活躍し、生活の基盤も維持し、さらに生活を愉しむ「生活の情味」が芽生えることを祈ってやまない。

これまでは、強いリーダーが皆をひっぱって責任を負う、陸の時代だったのかもしれない。しかし今は、海の時代になったのである。海の時代は、リーダーも皆も一緒に軽やかに泳ぎ、目標に辿り着く時代だ。そこで求められるのは「自利利他」の実現なのだ。

多様性に活きる時代

今は多様性の時代という。プライベートな事柄を、深掘りしてはいけないことが会社生活のルールとなった。さて、聞けないのなら、発信してもらわなければ、お互いを知ることはできないという思考にもなる。外出自粛で自宅で仕事をし、食事はデリバリーで届けてもらう。PC上のチャットでの会話はあるが、それでは一日中誰とも口をきかない人もいるかもしれない。さらに、飲み会や集まりも自粛である。

しかし、PC画面越しでもいいし、久しぶりの出社などの機会でもいい。積極的な自分発信、自分の情報発信を自分の口から、言葉でした方が絶対に良いのである。ある意味、今の日本は個人的な鎖国状態といえる。日本の鎖国時代を振り返ると、諸外国から入った文化芸術が日本古来の芸術と融合し、成熟し、素晴らしい作品が生まれた。

わが社も、コロナ自粛スタート時期から来訪者がほとんどない。当然、訪問も歓迎されない。であれば、今は、会社の鎖国時代だと認識し、大事な経済活動とともに、構築してきた会社の強みや知識、会社の文化といえる社風について、今一度見直して練り直し、より良いものを生み出すチャンスにしたい。

世間を見渡すと、ユーチューバーが、有名アパレルブランドと協業し、インターネットで洋服を販売したり、高級感が売りだったデパートに家電量販店が入ったりと、昔では考えられないコラボレーションをたくさん目にすることにお気づきと思う。企業にしても、思いもよらない異業種同士がコラボレーションし、新たなビジネスを生み、収益を上げれば、新たな雇用も生み出せる。そういった機会を提供できる場も、ネット上で可能になると確信する。

時間を耕そう

新型コロナウイルス感染症が終息したのちに思いをはせると、おそらく社会には次世代の生活様式が定着しつつあるだろう。ヒトは、命の危険のある環境に抗いながら、叡智を発揮し、人類社会は進化のただなかにいる。ヒトは、しぶといのだ。

ヒトの行為、行動のプロセスの結果を出すには、ヒトを奮起させる言霊を発信することだ。たとえはったりだったとしてもいい。日本の神話では、神様は試行錯誤しながら国土を生み、成長させてきた。間違いもするし、きょうだいげんかもよくある話。何度も何度も失敗しても這い上がる。結婚もすれば、離婚もする。そこには、慈悲や利他の行動が多くみられる。

コロナ後の世界を、絶対に良くする、という信念を持つことだ! 我々はしぶといのだという確信を持とう。悲観的な考えに明け暮れるにも、心ときめく明るい未来をデザインし創造するにも、費やされる時間は同じ。されば、時間を耕やし、創造の芽を育てよう!

第2章

変化の歴史を貫く日本人の精神

禍転じて福となす「日本古来精神」の再興を！

渡邊喜雄（わたなべ・よしお）：カインドウェア代表取締役会長。1949年生まれ。自由学園卒業後、カインドウェア入社。日本刀文化振興協会常務理事。国際刀装具会副会長。根津美術館理事。渡辺育英会理事長。

コロナ禍のおかげで？　新しい文明の姿が見えてきた。コロナを禍いでなく福と転ずる発想が必要だ。コロナ終息後、どんな新しい文明が来るのかを考え、まずひとつのビジョンを作り、それに沿って、今の生活を根本から見直して組み立てる必要がある。過去の文明、歴史を基本として振り返りながら、新しい文明に向けて価値観をどのように変更していったらいいかを考えてみた。

実体経済が潤う地方創生型の金融構造へ

日本人の生活様式は都市中心型から、地方分散型に徐々に変わり始めている。これを可能にしたのが、ＩＴと地方の安い生活費である。実体経済で必要とする貨幣と、金融経済が作る金（かね）から金（かね）を生むという形なき貨幣との二極化が、あまりにも差が広がりすぎてしまったため、テレワークが可能で住居費が安い地方への移住が進みつつあるのではないか。近未来社会に期待される金融構造は、お金をベースにした都市経済から、職住近接や地産地消のように、実体経済に必要な貨幣中心の形に移行するべきである。

アフターコロナ社会の地方分散型生活様式を活性化させ、加速化させるためにも、近年苦境に陥っている地方銀行や信用金庫の生き返りを図っていかなければならない。地方に人が移住することと、地方経済が発展していくことと、地方の金融機関が活性化することが好循環化して、初めて地方の創生が果たされる。

そうするためには、地方独自の文化の再興と、地域的には離れていても、共通のプラットホームのもと、立ち位置を共有できる、ＩＴを基盤とした地方市町村の情報連合体の創出が不可欠である。以下、日本古来の良き地方のあり方を踏まえた、日本精神の再興について論述する。

見えないものへの畏敬の念と尊崇の念

大事なことは、まず、神を信ずること。第二次世界大戦後の日本人は、無神論者になっている。今、私たちは呪縛の中にいるように見える。その上、無神論を唱えるマスコミや識者が、見えないものを素直に感じ取って信じようとする人たちを追いつめてしまった。私たちは、大自然の循環の中で生きている。循環の見えない力や法則に対して、尊崇の念を持つべきだと思う。私たちは、食物連鎖の中で生きている。文明というのは、自然が作り出す豊かな農産物、環境がベースで成り立っている。

日本人には、「いただきます」という言葉がある。「いただきます」には、自分の命を私たち人間のために捧げてくれた生き物への感謝の祈りの意味がある。

縄文時代のフィロソフィー

縄文時代は、すべての生命に対して祈ることがフィロソフィーだった。多くの遺跡の中心には祈りの場があった。縄文時代は、一万年以上続いた世界最長の文明であった。縄文時代と弥生時代の違いは、きわめて顕著である。まず、縄文土器は非常に装飾性が強く、エネルギーを込めた祈りが見出せる。ところが、弥生時代になると薄手で装飾の少ないきわめて合理的なものに変わり、大量生産が可能となった。

弥生時代は、現代文明の基と言われている。大陸の影響を受けていた。人から物を奪い、自然から物を奪って作り上げた文明であったと考える。一方、縄文時代には、あれだけ原始的な生活なのに、餓死者がいなかった。弥生時代から餓死者が発生したとされる。なぜかと言うと、食料を単一的に大量に作ろうとすると、簡単に自然災害を受けやすい。それによって餓死が発生した。

縄文人は長い間の知恵で、それを防ぐために、混合栽培をした。つまり、森の中に食べられるものを点在して作り、単一な農地にしなかった。なぜ点在させるかというと、その果実を好む害虫が発生しても、他の畑とは離れているので、全滅する前に鳥が来て害虫を食べてしまう。また違う作物を同時に作ることで植物同士のストレスがなくなった。こういうことを縄文人は経験則で知っていたと思われる。

現代人は、すべてを科学で見ようとする。科学ではまだ見えない部分、つまり現代科学の限界がある。科学で縄文人を見ようとするから、読み切れない。現代は科学を絶対視した幻想の上にたっている。現代科学というのは、群盲象を撫でるがごとき細分化をなし、あまりに複雑化しすぎたから、全体像が見えなくなってしまった。

神の存在を見直し、精神文明へ回帰を

現代科学は、混迷の科学である。外から全体像を見る必要がある。それが、今、哲学の復活とも言われている。フィロソフィーとは、神が与えた知恵の学問だから、神の存在をもう一度見直すべきである。私たちのふるさとには、お寺があり、神社があり、お稲荷さんがあり、お地蔵さんがあり、森の鎮守があり、道祖神や多数の神がいる。つまり日本人ほど神に囲まれた民族はいない。世界の中で一番、日本人は精神文明に回帰しやすい民族だ。だからこそ日本は来る新文明の中心となりえると確信している。

同様に、トルコで今から一万年前の遺跡が出てきた。大変大きな遺跡なのに、唯一宮殿がない。どうなっているかというと、遺跡の中心が祈りの場所だった。今までは、権力者がいて、それが中心になって作り上げた都市から、文明が発生すると言われてきた。しかし、トルコにある「ギョベクリ・テペ」の遺跡は、神に祈りを捧げる場所だった。人が集

まる中心には、芸術が生まれ、文化が生まれた。縄文と同じく、文明の起源は祈りなのである。

祈りの集団が作る芸術性や文化の高さ

現代日本人は、無神論に慣らされてしまっているように思える。自信を持って生きるには、足元を固めないとダメだろうと思い、しつこいほど「祈り」について書くつもりである。

祈りの集団によって、芸術や高度な文化が生まれた。しかし、それは欲にかられた肉体的に強く、ずる賢い集団によって滅ぼされていく。つまり、武力を中心とするものに敗れていくのである。「そうは言っても、日本も海外を攻めたではないか」とも言われている。

ヨーロッパ近代文明の影響が入ってきた明治に、日本は武力によって海外を侵略する発想になった。海外の影響で日本人は歪んだ歴史の中に埋没してしまった。それを一生懸命に戻そうとする日本人のDNAがあるはずだ。これから新しい文明を模索していくにあたり、日本人が今まで生きてきた正統な文明の中に、沢山のヒントが隠されている。

日本人は生命の循環論である。死んでも仏になる。これは輪廻の世界であり、これを消費生活ではリサイクルという。今の私たちは、リサイクルとは対極の使い捨て文明の中にいる。生と死の文明である。商品は、価値がなくなったら捨てられる。これからは、すべてが循環しなければならない。循環をしないとなれば、地球そのものが破滅し、人類はその報いを受ける。

地球温暖化というのは誰が言ったか知らないが、地球は温暖化ではなく、高温化しつつある。そうさせたのは、現代人である。日本の人口は江戸時代で約三〇〇〇万人、今約一億二〇〇〇万人になっている。二〇五〇年は、世界の人口は九七億人で今より二〇億人増えるだろうと言われている。一方で、日本の人口は九五〇〇万人で二五％の減少が見込まれる。高齢者の比率は、二〇％から四〇％に膨れ上がる。欧米では四人に一人が高齢者。日本より構成比率は低いが、世界全体で高齢化が始まっている。

和をもって貴しとなす

世界は、みんな協調し合える。日本は昔、和の国と言っていた。平和の和、和するの和。だから、聖徳太子も「和をもって貴しとなす」と言った。私たちは、それを称して和魂（わこん）という。和と魂は、神道の中心でもある。すべての生命あるものに対して感謝をする。それが「祈り」である。日本を統一する時に武力による統一より、和をもって統一しようとした。他の部族が信じている宗教も、それを否定せずに自由に許し、更に一緒に祈ることにした。

これが、「八百万（やおよろず）の神々」の思想だ。これが、神の願う形だと思う。これからは、異質のものの集合体をみんなで受け入れる。いいものだけをお互い認め合えば、地球上は今のままで、私たちは幸せに共存できるだろう。世界の人たちが求めているのは、日本の伝統と文化だ。それは、感謝と祈りの心である。それが新しい文明を興すために私たちに期待されている。

生きとし生けるものの運命(さだめ)

渡辺利夫(わたなべ・としお)：公益財団法人オイスカ会長。1939年、山梨県生まれ。慶應義塾大学大学院経済学研究科修了。経済学博士。筑波大学教授、拓殖大学総長などを経て現職。専門は開発経済学、現代アジア経済、長期経済統計作成。著書に『成長のアジア 停滞のアジア』(講談社学術文庫)、『開発経済学』(日本評論社)など。

生命至上主義というニヒリズム

社会は私ども個々人に都合よくつくられているものではない。人間社会の諸組織は、それぞれの組織の論理にしたがって動くものであり、個々の人間には居心地のよくないことの方が多い。そもそも人間は、他の動植物よりおくれてこの世界に参入してきた者であり、

「新参者」である。この世が新参者の生存に都合よくつくられているはずがない。人間は天変地異につねに脅かされ、病原菌に襲われることもしばしばである。しかしその中を生き抜く生き様がある。

ウイルスは人間がこの世に生存するはるか以前から存在しており、今後とも存在しつづけるにちがいない。既知のウイルスの種類よりも未知のウイルスの方が圧倒的に多いらしい。新しいウイルスが発生して人間の体に棲み着き、人間を悩ませ苦しませた後に人間の体内に抗体が生まれて、ウイルスとの共存が始まる。しかし、共存も束の間、次のウイルスがまた人間を襲う。やがて人間の体は再び抗体を獲得してこれと共存する。そういったことをやむことなく繰り返してきたのであろう。新型コロナウイルス感染症とて、人間とウイルスとのそういう闘争史の中の一つのエピソードなのであろう。

ところが、現実は、エピソードどころではまったくない。新型コロナの感染拡大がいかに過酷なものであるかを、マスコミは毎日のように煽り立てている。マスコミの情報からしか真実を知り得ない私たちは、これに振り回され、レジャー産業、スポーツビジネス、飲食業などは壊滅してしまいかねない状態に追い込まれている。マスコミやそこに登場する専門家たちの、いかにも深刻そうな話を聞いていれば、大衆の私どもが怯えるのは無理もないが、公正積極な精神的態度が必要だ。

情報過多で膨らむ不安と恐怖

どうしてあんなに切実に事態を語るのだろうか。もちろん、新型コロナによる被害を軽視するわけではない。

事態を深刻なものだと報道しておいた方が、視聴者や購読者をふやすのに効果があるのかもしれない。それに専門家たちにも、事態を深刻に発言しておいた方がリスクは小さいという利点がある。実際にはさしたることはなかったことが後に判明しても、〝それはそれでよかったですね〟といえばすむことだし、〝私どもが厳正に警告してきたからさしたることなくすんだのだ〟と強弁することだってできよう。

がん、脳血管疾患、心疾患などに比べて、新型コロナはどうしてこれほどの動揺を日本の社会に与えているのであろうか。GDPの推計値などからすると、空前の落ち込みである。リーマンショックをはるかに超えるようだ。新型コロナによる打撃はこれまでの多くの感染症を一段と超えるマグニチュードをもっている。おそらくのところ、これはSNSを中心にして情報が広がる情報社会に特有の現象なのであろう。SARS、MERSなどはそれほど遠い過去のことではない。しかし、決定的に異なるのは、誰しもがスマホにより情報に容易に頻繁にアクセスできることであろう。無気味で暗鬱な情報が自分の手の中から伝わってきて、これを遮るすべが私どもにはもうない。マナーモードに切り替えたり、電源をオフにしておいても家に帰れば、家族はそれぞれ自分のスマホからもうとっくに情報を得ているではないか。

こういう、もうもとには戻ることのできない情報拡散社会にあっては、新型コロナ感染症それ自体が引き起こす不安や恐怖というより、情報によって煽られる不安や恐怖、不安障害や強迫神経症の方がはるかに恐ろしいことのように思われる。実際、ＰＣを開けば「コロナ鬱」についての情報がいっぱいでてくる。役所のホームページにも、コロナ鬱の相談窓口を設置しており、不安があれば相談に乗りますよ、と記されている。

防衛単純化の機制

いったい、私どもはこのコロナ禍とどう向き合ったらいいのだろうか。

冒頭に記したことだが、この世は私ども個々人に都合よくつくられたものではない。むしろ私どもは、無数の敵に囲まれて生存していると考えた方がいい。

しかし、当の人間としてはそうは考えたくないであろう。そう考えてしまえば、いかにもこの世は住みにくい。敵の数を限定して、できれば一つ二つに絞りこんで、その一つ二つをやっつければ自分は不安と恐怖から解放される。そう考えたいではないか。

このがん細胞さえ剔抉できれば、このウイルスさえやっつければ、自分の生存は保証される。とかくそう考えがちであり、それが「人情」というものであろう。森田療法の開拓者森田正馬の第一高弟、高良武久は、これを「防衛単純化の機制」と呼んでいる。「人間は不安の器である」というエッセイの中で次のようにいう。

「我々がその中に住んでいる自然も社会も、自分個人のために、特別都合よくつくられたものではないから、我々が生きる上には無数の障害がある。

地震、雷、火事どころではない。病気の種類も何千となくある。人間関係、経済問題、交通事故、公害、戦争などきりがない。これらに対して、意識するとしないとにかかわらず、我々は常に不安を持っているからこそ、それに刺激されて努力もするのである。そしてそれが生きる張り合いでもある。

不安はあるのが常態である。これが事実だから、それを排斥して異物扱いするなといいたい」

私ども不完全なる人間が不安を排除したいと考えても、それは不可能のことだ。不可能のことを可能であるかのように考える人間のクセが「防衛単純化の機制」である。不安が人間の「常態」であり、不安を振り払わねばならない「異物」であるかのように考えれば、この不安はますます強くその人間にこびりついて、ついには不安障害や強迫神経症へと「発展」してしまうというのである。

コロナを不安視して、コロナ鬱に陥って身動きの取れない人が私の周辺にもいる。〝こんなことが書いてありますよ〟といって私は高良のこのエッセイのコピーを渡すことにしている。

アンチエイジングの虚無

私どもが問うべきテーマは、結局は死生観の問題に帰着するのであろう。

生きとし生ける者は、すべて「生老病死」のサイクルから逃れることはできない。誰だって知っている人生の真実である。高血圧、脳卒中、心臓病などはかつては老人に固有の病だと受けとめられてきた。もちろんがんはその典型である。加齢とともに発症率が加速度的に上昇していくというのが、これらの病に共通してみられる統計的な事実である。それゆえこれらはかつては「老人病」として運命的な捉え方をされてきたのだが、いつの頃からか「成人病」と言い換えられ、ついには「生活習慣病」と呼ばれるようになった。不健全なライフスタイルは改めよ、そうすれば発症は避けられる。定期検診を怠るな、早期発見・早期治療に努めよ、とマスコミや専門家は繰り返す。厚生労働省、なにより地方自治体の指導は、実際、うるさいほどである。

その一方で、「人生一〇〇年時代」などという、普通の人間にはほとんどあり得ないようなスローガンを政府がいいふらす国である。生活習慣を正して一〇〇歳まで長生きしようと、あり得ない話を人が信じたとして、別に不思議ではあるまい。「生命至上主義」といったら言い過ぎであろうか、生きてさえいればいい、というニヒリズムのようなものさえ漂っているではないか。

いくつかの総合病院のウェブサイトを開いてみると、そこには「抗加齢ドック」のことが書かれている。日本抗加齢医学会なる団体があって、これがドックの導入を全面的にサポートしているのだそうだ。学会のサイトによれば「抗加齢医学（アンチエイジング医学）とは、加齢という生物学的プロセスに介入を行い、加齢に伴う動脈硬化やがんのような加齢関連疾患の発症確率を下げ、健康長寿をめざす医学である」という。

このサイトの「抗加齢ドック」を推奨する解説文には、「老化という兆候や症状についても、検査により早期発見、早期治療、生活指導を行うことによって、加齢、老化の予防を実現することが可能」であるといい、さらに「老化の兆候といった弱点を見つけ、早い時期から徹底的に対処する事が重要です」と記される。秦の始皇帝が配下に「不老不死」の仙薬を求めて蓬萊の国へゆけと命じたという『史記』の中にある話を思い起こす。かつてとは似ても似つかぬほどの高度の医学・医療レベルにまで発展した現在の日本において、その行き着く先がかの時代とさして変わらないというのでは、なんともやるせない。

ＯＥＣＤの統計によれば、日本人の一人当たりの医療機関での年間受診回数は一二・七回、ＯＥＣＤ加盟国の平均六・六回を倍する数値である。同統計によって各国のＣＴスキャナー保有台数を人口一〇〇万人当たりでみてみると、米国四一・九台、ドイツ三五・一台、英国九・五台などに対して、日本は実に一〇七・二台とだんとつの世界一である。終末期にいたれば、中心静脈栄養の輸液、胃瘻（いろう）による水分栄養補給、人工呼吸器、人工透析、その他の生命維持装置が用意されてもいる。

反「医療絶対主義」

ＥＣＭＯ（エクモ）という人工呼吸器のことなどこれまで聞いたこともなかったが、この装置がどんなものか、最近、テレビにしばしば映しだされるので少しは知るようになった。新型コロナウイルス感染症で重症化した有症状者に装着される装置だという。「医療崩壊」の禍々(まがまが)しい報道がしきりに繰り返されている。医療従事者や病床数の不足とならんで、人工呼吸器の不足のことにつねに話が及ぶ。

肺の機能に代替して血管の中に直接酸素を入れる装置だという。太腿の付け根の血管から血液を抽出して人工呼吸器に送り、二酸化炭素を取り除いたうえで、その血液を首の付け根のところの血管に戻すという機械らしい。しかも、有症状者は二週間以上、これを装着しなければならないという。大変な苦痛をともなう医療機械にちがいない。

気道を通して侵入するウイルスが、肺の内部で増殖して引き起こされる炎症が肺炎である。肺炎は、別にコロナでなくとも、がん、心疾患、脳血管疾患とならび死亡率の高い病気であり、加齢とともに死亡率が加速度的にふえる典型的な老人病である。肺炎が重症化し重篤化した高齢者、超高齢者にＥＣＭＯを十分に提供できない。このことが医療崩壊の象徴であるかのようにいっていいのか。

生きとし生ける者には、すべて生老病死のサイクルがある。老いて病み、病んで死んでいくことがまるで許せないかのような主張に、私は納得がいかない。当たり前の話だが、人間の死因の中で最も多いものは老化である。老化により心身の機能が不全になって人間は死んでいく。どうして老化とか老衰という表現を避けるのだろうか。老化し老衰して人は死んでゆく。仮に抗体が獲得されたり、ワクチンや特効薬が開発されたりしたとしても、この事実には少しの変わりもない。老化し老衰していく高齢者の慢性疾患にどう対処するのか。この難題を医学・医療に押し付けている以上、どうにも答えはでてこない。でてくるのは、余りに酷い延命手段のことばかりになる。

私の母はとうに死んでいる。「親孝行」の私に対して、母は〝ぼちぼちお迎えの時がきそうだよ〟とよくいっていた。人生は「お勤め」であり、これが終われば「お迎え」がやってくる。昔から人は、大抵がそういう運命観というのか、観念のようなものに支えられて人生を紡いできたのであろう。

「生命至上主義」というのか「現世至上主義」というのか。これが「医療絶対主義」と結合した時に、人間はどんな結末を迎えることになるのか。積極公正な精神的態度に立ち返ること。コロナ禍の中で、私どもが深く問われているのは、つまりはそういうことなのではないのだろうか。

今こそ見直すべき文化・芸術の価値

松本美和子（まつもと・みわこ）：ソプラノ歌手。武蔵野音楽大学特任教授。武蔵野音楽大学卒業、ローマ・サンタ・チェチーリア音楽院首席卒業、ローマ・アカデミア・サンタ・チェチーリア修了。ジュネーブ、トゥールーズ、バルセロナ等国際音楽コンクール入賞。欧米主要劇場で活躍。日本製鉄音楽賞特別賞、モービル音楽賞、ジローオペラ大賞受賞。紫綬褒章、旭日小綬章を叙勲。

新型コロナウイルス感染症の蔓延（まんえん）により行政からも密を避けるように指示される中、私達演奏家においても演奏会は中止、あるいは延期を余儀なくされた。大学の授業にも支障をきたし、音楽家としての従来型の活動が殆ど不可能となってしまった。そのような中では必然と家にいる時間が増え、改めて自分自身と向き合うこととなり、これまでの音楽生活や将来の音楽社会のこと、また自分ばかりでなく生徒達のことも深く考える機会を持て、大変貴重な時間を過ごせた。おかげで今は、芸術家として新たな生き方へ踏み出している。

コロナ禍で気づいた「愚行の習性」

コロナ禍は長年あまりにも愚行を繰り返す人間に対して、神の憤りともいえる啓示のようにも思えた。本来の自然界と共存する人間としての、なすべき姿に戻ることを熟考すべき時が来たのでは、と考えさせられる。

ヒトの飽くなき欲望や利便性の追求、進歩は却って人間が持っている機能を低下、後退させているように思えてならない。そして物質本位の生活とは決して、精神的な安らぎを得られるものではないことにも気が付いていないのである。

かつては情緒豊かにゆったりと楽しんだ四季の移り変わりも、慌ただしく季節感を失いながら過ぎ去っていき、光陰矢の如しとはいうものの時間の経過のあまりの早さに、侘しさや焦りを感じる。夏も終わり九月に入れば、すぐにおせちの宣伝、予約、一〇月はクリスマスとすべてが前倒し。新幹線は将来時速五〇〇キロを目指すなど、何のためにヒトはそう急ぐのであろうか？　進化のため？　人々を消費社会の中で狂ったように追い回す、それが真の進化なのであろうか？

このような社会でヒトが人間としての尊厳を失わず、安心して毎日を心豊かに暮らせる生活の道筋はあるのか？　残念ながら答えは明らかに否、困難である。それは科学技術や情報通信技術が急速に発展する中で、倫理観や人間の価値観に関わる問題が様々に生じている現状が証明している。この混沌とした社会を見直し、豊かで美しい自然の中で育まれる文化によって人間の感性を大きく育て、一日も早く健全な社会をと、コロナ禍は見つめ直す機会を与えてくれたように思える。そして、このような非常時にこそ、文化芸術が必要とされるのである。

非常時にこそ大切な文化芸術

欧米では各政府が早い時期に文化支援を始めた。それは人間社会において、文化芸術は不可欠だということを、しっかりと心身で理解しているからだ。

ドイツの文化相は「アーティストは生命維持のために必要」と発言し、メルケル首相は「文化的環境を維持することが政府の優先順位の一番上にある」と宣言し、言及のみでなくアーティストの支援金提供を即刻実施させた。英国やフランスには、アーティストの失業保険制度まであるが、日本では文化芸術は、伝統文化は別として、えてして趣味的な贅沢なものと思われてきた面がある。

第二次世界大戦以降、日本国民はひたすら国の復興や経済発展を目指して、戦いといえる程の労力をもって努力した結果、素晴らしい成功を収め得た。その間、文化芸術を考える余裕のなかったことは理解できる。しかし、その後の経済大国として発展した間にも、一部の愛好者、理解者を除き、文化芸術が精神的な安らぎ、感動、そして生きる勇気を与え、心豊かな生活を実現していく上で如何に不可欠なものであるかということが理解できていなかったのである。

幾度の大震災を経て、非常時こそ文化芸術が社会の役に立ち、大切だというコンセンサスが少し出てきたと思うが、絶対的な理解を得るには国民が文化芸術に対する関心と理解を深め、育てる意識が広まらなくてはならない。

感性を育む教育環境づくり

そのような社会を目指すには、その基礎となる豊かな感性を育て、文化芸術の大切さを理解できる教育環境づくりが最も重要である。学校教育においても豊かな感性と広い見識、視野を持つ教師のもと、子供達が教育の中で芸術鑑賞やまた何かの形で空間芸術に触れ、感動を覚え親しめる機会を持つことができるよう、学校教育全体をより文化的なものとしていく必要があると思う。

日本の現実の教育界では幼少の頃より塾通い、受験のための勉学に追われている。私たちが学んでいた頃には塾などはなく学校で学ぶのみ、故に先生は子供にとっても保護者にとっても絶対的に尊敬される存在だった。

先生を尊敬する。このことは非常に重要なことである。すべての学童は学校を終えると、宿題を済ませた後、外に飛び出し友達とクローバーが咲き乱れる原っぱで裸足になって飛び回り、夕暮れには家で家族と夕食をとり、また寝る前に予習をする。つまりよく学びよく遊ぶ。これが一般の常識だった。遊びの中からも、ヒトとして多くを学んだのである。しかし、生活環境が変わり、原っぱはなくなり、アスファルト、コンクリートのうるおいのない環境の中、大きく失われたものを補える意義のある学校生活でなくてはならないと思う。

例えば休日となった土曜日は勉学なしで、芸術鑑賞やスポーツにいそしんだり、歴史映画や名作といわれる映画を学校で鑑賞したり、時にはスケッチブックを手に野外学習を。これは学校ごとに地域の実情が異なるから工夫をする必要もあるが、もっと学校自身も豊かな発想で創意工夫をし、まず学校教師も知識以外に心身のレベルアップをすることが必要不可欠なことと考える。

教師は、子供達が幼児から成長する過程において、人格形成に大きく関わるのである。

したがって、教職とは医師と同様に聖職であらねばならず、またその意識をもって教職に就くべきだと思う。

文化・芸術に親しむ日常性

中国政府は何年か前から教育方針を変更したと、私の大学の中国人留学生より聞いた。今迄は日本の様にひたすら勉学に励む教育であったのが、ある時から将来の為には文化芸術の授業を義務教育に増やし、頭脳だけでなくそれプラスゆとりのある人間であること、そして発想力、創造力など感性豊かな人間性がより大切であるとの教育方針に変わり、何と大学受験科目にも、どの分野であろうと一科目、自分の得意な芸術の科目の点数も加える事が可能となったそうだ。

この分野の教育に限っては、何らかの目的があるにせよ、中国に先を越されてしまった。この事は、日本の文部科学省の方にも深く考慮していただきたい。画期的に良いとされる事には、時には日本に於いても無駄に時間を費やさず、スピーディな決断が政治的にももっとなされるべきではないだろうか。文化、芸術を愛し、理解のあるコミュニティに帰属していたかどうかで、その人の幸せがきまるというハーバード大学の論説を読んだことがある。コロナ禍の為に経済的な不況が続く現在でも、新しい型の社会を創るのであれば、どこに幸せの定義を置くか真剣に考えるべきだ。

物質的にあらゆるものが豊かに溢れている今、一番必要な事は、精神的内面的に豊かにする（精神的に豊かな人間は、若竹の様にどんな苦境にも豊かな感性で力強くしなることが出来るのだ）文化、芸術を大切にする事を基本に持った考え方だと思う。美しい風土に恵まれ、豊かな文化芸術が溢れる、自然を愛する美しい国、それが日本の未来の真に力強い国の姿だと思う。

しかし、なぜその理想の国を作るのがこうも難しいのか。それは教育の問題も大きく影響しているが、日本が島国である為、しばしば視野が狭くなるという島国特有の特徴以外に、日本語にも原因がある事が、角田忠信博士の研究によってわかった。世界の多くの言語は話す時に、右脳、左脳が交差している上に、ほとんど全てのことが右脳で考え、感じられているのに対して、日本語とポリネシア語は左脳のみが働いているのだという。

右脳はパトス、つまり直観力、イメージ力、ひらめき、感動など豊かな感性を司る脳である。一流の芸術家は勿論、科学者、数学者、医学者、教育者、そして政治家なども豊かな感性、発想を持ち合わせることは必然だが、言語のみでなく、感性を含むすべてのことを左脳（ロゴス）で解釈し、論理的思考の得意な左脳で会話する日本人には、文化、芸術の大切さを真に理解してもらうのは難しいのかもしれない。

しかし、角田先生の研究によれば右脳と左脳での問題は人種で決まるのではなく、話す言語によって決まるようである。この際、左脳のみしか働かない日本語をある意味欠点であると意識し、将来世界は増々狭くなっていくのだから日本人も国際人として通用するように、英語を単に机の上の勉強ではなく、幼少時より徹底的に話せる英語として訓練していけば、右脳も好都合に活性化されるであろう。その結果、感性豊かな直観力、イメージ力、ひらめきなどに恵まれた人が多くなれば、思考の仕方も変わり、発想が豊かになることは間違いない。政治、経済社会に於いても豊かな発想、転回こそが大きな発展につながるだろう。

音楽が身体にしみ込む

今、この社会においてあまりにも本来の人間としての感性、思考、生き方が欠如しているように思える。そして大学で教えている私は、今の大学生が、日本の、世界の文学作品を殆ど読んでいないことに驚き、そのような教育に失望している。

幼少より名作を読むことによって、どれだけ感性が呼び覚まされ磨かれていくか。音楽の時間が授業から減らされ、懐かしい日本の歌、ふるさと、父母への愛と感謝を詠い心の琴線に触れるような曲の代わりに、コマーシャル曲や現代のはやり歌と入れ替える、理解できかねることが起きている。

以前、私は高校や中学を訪問し、日本や世界の懐かしい名歌を歌った際、その時の学生達の輝く目を、そして救われたような表情や、幸せそうな笑顔を忘れることができない。コンサート後のアンケートに、「音楽ってなんて素晴らしく、そして偉大!」という真実の心が記されていたことが思い出されてならない。

このひと時にどれだけ心が癒されたか、音楽が身体中にしみ込んでいき力を貰った、はては、音楽は愛だと感じると書いた生徒もいた。これらのアンケートを読んだ私は、勉強で疲れた彼らを癒し、慰めのひと時を少しは与えることができたという喜びもあったが、それ以上にもっと深い感動を彼等から与えられ、声楽家冥利につきると心から感謝したことがある。そしてもっともっと私達は、学生達と社会に貢献せねばと今更ながら誓ったものである。

イタリアでは、合唱団とROSSINIのミサ曲を刑務所の中で歌ったことがあるが、歌いながら私は、何人かの魅せられたように聴く若い囚人の目を見て、音楽でこの人達を救えた、と実感した。音楽には百の悟りの言葉に勝る力があることをこの経験で深く感じた。

愛と感動を呼び起こす

ヒトが人間らしく生きるのに絶対的に必要なものは、愛と感動だと思う。しかし、現在、文化、芸術に触れることによって感動を覚えたことのある人々が余りにも少ない社会では、このコロナ禍の中で怯え、その果てにはうつ病になったり、友人に会えない等のストレスが増したりするばかりである。本来ならば感動、癒し、慰め、勇気を与える役割が文化、芸術であるのに、それがなかなか機能しない。いま一度、この現状をここで深く考えたい。

豊かな感性を育てる教育を、人格形成される幼児のころから一貫性をもって実践することである。そのことによって将来、文化、芸術が社会から強く必要とされる存在になる日が必ずやってくると思う。その日のために、私達は社会の役に立つ仕事に芸術家として携わっているので、自分自身を常に最高の状態に保てるよう、日頃研鑽に努めていかねばならないと考えている。コロナ禍から得られた今一層の心構えである。

第3章

国家、組織のあるべき姿

国家ガバナンスを強化しよう
～組織マネジメントの観点からの考察

茂木七左衞門

（もぎ・しちざえもん）：1938年千葉県出身。60年一橋大学経済学部卒、東京銀行（現三菱UFJ銀行）勤務の後、62年野田醤油（現キッコーマン）入社。73年ハーバード大学経営大学院修士課程卒。83年キッコーマン取締役。副社長、副会長を経て、2009年取締役を退任。18年まで独立行政法人日本芸術文化振興会理事長。現在、公益財団法人茂木本家教育基金および茂木本家美術館代表理事、恩賜財団母子愛育会評議員、公益財団法人千葉県文化振興財団評議員等を務める。13年茂木七左衞門（13代）を襲名（旧名賢三郎）。

初動体制の遅れ

新型コロナウイルス感染症（以下、「コロナ」）についての一連の推移を見るとき、総括的に言えば対策のスピードが遅く、後手後手に回った嫌いがありはしないか。これは事態に関する総合的理解力と判断力、危機意識とリーダーシップの不足ないしは欠如の故だと筆者は考える。もう一つの要因は、組織と役割分担が不明確で、誰が何を決めるのかが不明確であることだ。要するに、国家ガバナンスが十分に機能していなかったのである。

後手に回ったケースのうち、もっとも重大なのは二点だ。第一は、中国の春節休暇が始まる前に中国からの観光客を止めなかったことである。多分これは、習近平国家主席の国賓招待への影響を恐れてのことだったと推察されるが、事の軽重に関する判断を誤ったものではなかったか。第二は、政府の緊急事態宣言〝発出〟が遅きに失したことだ。

検査体制に関する倒錯した議論

そもそも今回のコロナ流行の初期段階から、どう感染の広がりを抑えるかの議論は極めて非論理的で本末転倒というか、倒錯したものだった。コロナは危険な感染症であるとして、「感染症の予防及び感染症の患者に対する医療に関する法律」での二類感染症に分類された。二類感染症とは〝感染した者を隔離すべし〟という規定だそうである。

したがって、「感染が確認されれば法律上隔離されねばならない。しかるに病床が足りないから隔離出来ない。隔離出来ないという法律違反の状態を出現させてはいけないから、患者数が増えてはならない。そこで敢えて検査をせずに、新たな患者が発見されないようにしておく」というものだった。

コロナは未発症のキャリアからでも感染するとのことである。しかも新規感染者が発症する二日前くらいが、もっとも感染力が強い。ならば、検査で極力キャリアを見付け、隔離病棟が無いならホテル等を借り上げてでも、なるべく隔離に近い状態にするのがまともな対応ではないのか。発想というか、思考過程がまるで論理的ではないのだ。まさに〝本末転倒〟、〝臭いものには蓋〟的な考え方なのである。法改正が必要ならば早急にその手続を踏むべきだったのに、国会は休会のままだった。

ＰＣＲ検査体制の確立についても、政府の対応は初期の段階から今に至るまで不徹底かつ遅いままである。実は、筆者は以前在籍していた食品会社で、全くのいわゆる事務職であるにもかかわらず研究部門の担当役員をしたときにＰＣＲ検査についての説明を受け、記憶の片隅に残っていたのだ。

それは医療の世界に限らずバイオテクノロジーの分野で一般的に用いられる検査で、遺伝子を増幅することによりその存在を確認する技術である。したがって、医療関係の検査機関だけでなく、バイオサイエンスを研究する多くの大学や民間研究機関、そして民間会社でも分析装置を保有しているのである。現にコロナの初期の段階で、たしか北大の総長がテレビで繰り返し自分の大学で協力出来るということを表明していた。もちろん、通常の遺伝子検査とは違って危険なウイルスを扱うのだからそれなりの注意は必要だが、民間にも多数ある機器を動員すれば検査体制の大幅拡充は可能なのである。

マネジメントの視点からの政府組織の見直し

日本のような多くの人口を擁する国家の組織は、複雑多岐にわたる業務を遂行する必要上、極めて大規模で複雑なものである。企業の組織論などでは、到底理解出来る範囲を超えたものと言うべきかも知れない。しかし筆者は、組織が複雑であればあるほど、規模が巨大であればあるほど、なおさら組織設計と管理の基本に忠実であるべきではないかと考える。

民間企業では、折に触れて組織が企業目的達成のために効率よく設計されているかどうかの見直しをするのが当たり前だが、行政組織がそういう観点で検討されたことはあまりないのではないか。筆者が懸念するのは、いままで何度か行われてきたいわゆる行政改革で、もっぱらマスコミ報道を通じての国民受けを狙ったような無理な変更、特に組織統合がなされてきており、その結果運営上の無理や不合理が生じていないかという点である。

たとえばかつての行革の一環で旧労働省と旧厚生省が統合されて今日の厚生労働省が存在するのであるが、今回のコロナ禍対応のために経済再生担当大臣がコロナ担当大臣に指名された。おそらく厚生労働大臣の職務が多大であるために特命のコロナ担当大臣が任命され、詳しい職務権限・分担が決められてそれぞれが十全に機能するようにとの意図による組織決定だったのではあろうが、その後の動きを見ていると、どういう業務がどちらの大臣によって所管されているのかが極めてわかりにくい。

そもそも密接に関連する業務を二人の大臣に分割担当させるという発想そのものに無理がある。たとえて言えば、同一市場における同一製品群の営業活動を、二人の営業部長に担当させるようなものではないか。

経済再生担当大臣の話題が出たついでに言えば、財務大臣や経済産業大臣の他に経済再生担当大臣を置くことの意義もわかりにくい。また、文部省と科学技術庁を合併させて文部科学省とし、文部科学大臣を指名しているのに、一方で内閣府特命担当大臣（科学技術政策）を置くのはいかなる理由によるのか。

審議会などの場合でも、たしかにあまりにも多くの審議会が乱立気味である状況はあろうが、一方でただ数を減らそうという意図の下に、同一省庁が所管するいくつか使命が異なる審議会を無理に一つにまとめて、それまでの審議会を○○審議会××分科会と改称し、全く同じ事をやっているという例もあった。おまけに、年二回ほどは統合された審議会の総会を形式的に開くというとんだ無駄が生じてしまっているのである

今後の日本国の効率的な管理運営のためには、ぜひ今回明らかになった行政組織の運営・管理上の問題点をよく理解して、政府組織を中央・地方を通じてより合理的・効率的なものに是正し、国家ガバナンスの強化をはかりたいものである。その為には、いささか費用はかさむものの、企業経営や組織設計・管理に精通した有能なマネジメント・コンサルタントを起用して、徹底的にスタディーさせることが有効かも知れない。

中央・地方の連携強化と情報伝達システムの抜本的改善

中央政府組織と地方政府組織の連絡連携についても、工夫改善をしなければならない。

筆者は日本くらいの人口と国土の国においては、国家全体にかかわる基本的な枠組みは中

央政府が主導的立場で決定すべきだと考える。その上でたとえば特定エリアへの立入制限とか、飲食店の営業時間の制限とかは、その場所毎の実情に精通した地方自治体の長が主体的に意思決定すべきであろう。それは知事であったり、場合によっては市長、町長、村長であるかも知れない。

感染者数の把握や、保健所から都道府県、さらには厚生労働省への情報伝達がいまだにファックスで行われ、その為に間違いが発生したり、著しく時間がかかったりしていたことが明らかになった。今回の内閣発足にあたりデジタル庁が新設されることになり、デジタル改革担当大臣が置かれたので、この問題は急速に改善されることを期待したい。

いわゆる政と官の関係についても、そのあり方を見直すべき点がありはしないか。国民から選ばれた国会議員が最終的なリーダーシップを取るべき事は当然である。しかし、個々の具体的な問題についての知識や経験に基づいて、実務には官僚の方が精通している場合が普通だろう。政治主導は当然のことながら、官僚の実務遂行能力を大いに活かさなければ国家的損失である。

日本文化の特性を過大評価する危険

日本政府の対策については、いろいろな評価がある。諸外国と比べれば患者数、就中死者数が少なく推移していることにより、プラスの評価をする人も少なくない。だが、これでよかったと喜んでいるばかりではいけないと筆者は考える。日本で感染がそれほど拡がらなかったのには、日本人のライフスタイル、あるいは日本の文化の独自性にもその要因がかなりあったのではないかと思う。

しかし、今後襲って来ると覚悟せねばならないコロナの第三波や新たな感染症に備えるには、もっと厳しく反省点を突き詰めておかねばなるまい。日本を訪れる外国人は、一様にその安全さに驚嘆する。確かに我が国は、諸外国と比べて極めて犯罪の発生率が低い。最近の世界の犯罪統計を見ると、凶悪犯罪の代表格の殺人の発生率（人口一〇万人当たりの年間殺人事件）は、日本が〇・二六であるのにたいしてアメリカは四・九六、世界でもっとも高いエルサルバドルではなんと五二・〇二である。

つまり日本で殺人事件に遭遇するリスクはアメリカの一九分の一、エルサルバドルの二〇〇分の一でしかない。しかし、その安全な日本でも毎年殺人だけでなく相当数の凶悪犯罪は起きている。絶対に安全というわけではなく、日本でも刑法は必要であり、警察組織も裁判所も刑務所も不可欠である。

諸外国と比べれば、日本人には個人のわがままを抑えて社会の秩序を保とうとするメンタリティーが強いと言えよう。だが、あまりこれを過大評価すべきではあるまい。営業自粛を受け入れないパチンコ店もかなりあったし、隔離施設で職員の制止を振り切って外出を強行した感染者もいた。飛行機の中などでマスクの着用を拒否する乗客もいた。もっと危険な感染症に備えるためには、憲法をはじめ関連諸法規を改正して、所謂公共の利益達成のためには必要かつ適切なレベルの私権制限を行えるようにすることが必要だ。これは、決して民主主義の理念に反するものではないと筆者は考える。

トップリーダーシップと意思決定

トップリーダーシップの重要性は言うを俟たないが、その源泉は何だろう。論功行賞を含めて人事権だという人も多いだろう。確かに、一所懸命仕事をして上げた業績について正当な評価を受けることは、人にやる気を起こさせる上で極めて重要である。また、トップ自身の能力の高さ、仕事が出来ることも大事だ。

だが、それよりももっと重要なものがあるのではないか。トップ自らの使命に対する情熱と責任感を部下が感じ取るとき、部下もこれに共感してトップに対する尊敬と信頼の念を抱き、仕事に邁進する気持を持つに違いない。

トップリーダーの最も重要な職責は、意思決定であると言って良かろう。「拙速は巧遅に勝る」という言葉がある。意思決定というものは、とかく遅れがちになる傾向があるから、この箴言のもつ意義は大きい。しかし文字通り拙速ではいけない。ハーバード大学でのケース・ディスカッションを通じて筆者が学んだのは「意思決定は、行う必要が生じるまでするな」ということだった。つまりまだ決定する必要がないときに、慌てて決めてはいけないということである。

そしてまた、「意思決定をする必要な時期に、情報が不十分だという言い訳をして先延ばしにしてはいけない」ということも学んだ。この教訓も重要である。意思決定は、必要なタイミングで果断に行わなければならないということだ。

このような意思決定が出来るリーダーをどう育てるか。妙案はない。人にはもともとの性格もある。決定を下すのが苦手で、どうしても遅くなりがちな人もいれば、一見決断力があるように見えるが、あまり考えずにエイヤッと決めてしまう人もいる。理屈はいろいろ言えるが、現実の局面での意思決定はなかなかに難しい。現実の経験の積み重ねに優るものはないだろうが、事例研究方式による訓練もかなり有効である。

いずれにせよ上に立つ者は、その責任の重さを自覚して常に己の職責を全うできるように研鑽を積まなければならない。それが、ガバナンス確立のもっとも重要で基本的な前提であり、今後も襲ってくるであろうパンデミックやその他の危機への備えの鍵である。

株式会社「日本」の現在地

神山敏夫

（かみやま・としお）：1941年東京都生まれ。65年中央大学商学部卒業。69年公認会計士登録、その後税理士、行政書士も登録。現在、神山公認会計士事務所及び税理士法人神山会計の代表として、監査、税務、事業承継、相続、贈与をはじめ中小企業経営者の相談等に従事。元日本公認会計士協会東京会会長。元家裁調停員。

霧の中を俯瞰する

中国・武漢を起源とする新型コロナウイルス感染症（COVID-19）が世界に蔓延（まんえん）している。世間では、コロナ禍の今日を歴史の分水嶺と見立てACBC（After Corona Before Corona）という言い方もされる。つまり、これは危機であると同時に、大きなチャンスとっていこう。

とらえることができるのではないだろうか。では、未来に向けた光はどこにあるのか、探

先ず新型コロナ前はどうであったかを見ておきたい。

世界には古代から疫病や外圧を境に大きく変わってきた歴史がある。

日本においても、疫病や飢饉を起因としての桓武天皇による平安京（京都）への遷都。蒙古襲来を引き金として鎌倉幕府は滅亡し、鎖国状態の江戸時代においては、米国のペリーが開国を迫り、幕府は朝廷の許可なく日米和親条約（一八五四年）を結んだことで一気に尊王攘夷、佐幕等の内なる思想を生んだ。その結果、江戸幕府は終焉、明治維新が成立した（一八六七年）。

ヨーロッパの主要国は、一六世紀の大航海時代から、資源や市場を求めて未開拓のアジアに植民地を求め競ってきた。日本は、それでも最初にペリーが浦賀沖に来てから明治政府成立までに一四年を要している。その間米国では一八六一年から一八六五年まで南北戦争があり対外政策は休止。ロシアも一八六一年三月対馬に上陸、一時占領した事件があった。それらを経て日本では、外圧による危機感が国内を覆ったのである。

我が国は四方を海に囲まれ、外国と日本領土内での戦争は蒙古（元）が初めてのことだ

が、アジアやヨーロッパでは、他民族からの襲撃、侵蝕という緊張の連続にあった。

特にヨーロッパにおける平和は、戦争と戦争の間につかの間に存在したともいえる。それに比較すると、日本人は島国という一定の範囲において、いかに自己の特性を生かして生きていくかを模索し、精神的な安定を築き独自の文化を醸成してきた。


二〇一五年に国連でＳＤＧｓ（持続可能な開発目標）が採択されて間もない中で発生した新型コロナウイルス感染症のパンデミック。これは国を跨いだヒトの移動をほぼ一時的に皆無にした。欧米が中心となって進めてきたグローバリゼーションと、中国が掲げる一帯一路の推進政策がコロナ禍をきっかけとして、正に衝突しようとしている。

中国が狙う一帯一路は単なる経済構想だけの問題ではない。南シナ海や太平洋からアフリカまでを視野に入れ、自国の覇権国家化を目論む壮大な野心と考えておくべきだ。そのような大国を前に、これからの日本は、経済力や軍事力で対抗するのでなく、世界中の人々からの憧れの国ジパングを目指すべきだ。コロナ禍はそのことを明らかにしたといえる。

グローバリゼーションと各国の独自性

新型コロナのパンデミックによって、ヒトの移動は遮断されたが、モノ（物資）やカネ（金融）、そして情報は減少したとはいえ止まることはなかった。この新型コロナに有効なワクチンが全世界にいきわたるメドが見通せない現在、感染防止か景気後退への歯止めか、どちらに軸足を置くべきか、各国のリーダーは悩んでいる。

各国首脳は、現状の体制と自国民を守るので精一杯である。少なくとも、前世紀初頭までは西欧の列強はその文化や慣習を植民地や途上国にそのまま押し付けてきた感は否めない。グローバル化とそれぞれの国の独自性とを、どのように共存させていくか。今回のコロナ禍は皮肉にも、この重要な課題を顕在化させた。

インターネットやスマートフォンなどの情報・通信手段の高度な発展や、アプリケーション・ソフトウェアの進化により利便性が一段と向上してきたことによって、ワンウェイからインタラクティブへ、情報の質と量に大きな変化が齎（もたら）されてきた。GAFA+M（グーグル・アップル・フェイスブック・アマゾン+マイクロソフト）と呼ばれている米国のテクノロジー企業五社の時価総額が東証一部上場企業の時価総額を上回ったことも、その変化を象徴する事象である。

そして、そのイニシャルを取ってBATと呼ばれる中国のIT企業三社（百度・阿里巴巴集団・騰訊控股）は、ネットワーク事業やICTソリューション事業等を展開する華為技術と共に世界的に発展拡大している。これらによって収集された個人情報データやビッグデータは何物にも代え難いほどの価値を生み出す。中国共産党は、いち早くこのソフトウェアデータの価値に気付き水面下で着々と活動してきた。

米国のトランプ前大統領は二〇二〇年、中国資本の動画投稿アプリTikTokなど二社の米国内での利用を禁止すると公表した。これに対し中国政府は「適正な企業活動であり合法である。断固として反対する」と表明。米国は、TikTokのユーザーの個人情報が中国に漏洩することを懸念しての措置としているが、諜報活動の一環であることは両国とも十分理解している。

かつて、半導体を押さえた者は、世界を制するとまで言われ、日本が先頭を走っていた輝かしい時代もあった。これは飽くまでモノ作りの段階であり、生産技術が究極まで発展した後は生産コストの競争に陥る。人件費の高い米国や日本など先進国は、人件費の安い海外に工場を移転していった。その受け皿が中国であり東南アジアの国々であることは周知のとおりである。

日本経済の空洞化が現実化し、バブル崩壊後の平成時代はまさに坂を転がるごとく、デフレ経済に突入し経済は停滞し、賃金はほとんど上がることがなく、失われた二〇年とも三〇年とも言われた。二〇一二年一二月第二次安倍内閣が発足し、経済政策として三本の矢、すなわち①大胆な金融政策②機動的な財政政策③民間投資を喚起する成長戦略を掲げた。①②は一定の成果を出したが、③については中小企業には及ばなかった、といってよい。大企業の利益や税収、雇用やGDPの改善、そしてインバウンド需要の増加等の明るい実績も見えたが、それもコロナ禍で逆戻り。二〇二〇年九月、安倍総理は持病の悪化により道半ばにして辞任してしまった。

次いで、菅内閣が発足し、デジタル庁の新設を打ち出しているものの、具体的な施策は見えていないのが現状である。リスクマネジメント（クライシスマネジメントやカントリーリスクを含む）に対し日本人は、鈍感なような気がする。コロナ禍はこの問題に日本人を目覚めさせ、喫緊の改革へ動かしている。

菅総理には、安倍政権の継承者として中小企業や起業家の逞しい努力に応えるべく是非、安倍政権では道半ばであった、③の政策を早期に促進してほしいものだ。

アントレプレナーを育む社会的土壌の必要性

高度なＩＴ技術を持ちながら、日本では何故ＧＡＦＡやＢＡＴのようなテクノロジーを駆使したグローバルなＩＴ企業が育たなかったのか、大いに疑問の残るところである。この原因は、日本人に内在する原因不明の宿痾（しゅくあ）であり、日本人の生き方や行動原理に影響を与えていると言える。

造船や自動車、家電、半導体までのモノ作りは世界を席巻したにもかかわらず、何故ＩＴ技術を駆使したグローバル企業が育たず、後れを取ったのか。その理由は何か。この病根を科学的に解明しなければならない。それがアフターコロナ社会の飛躍につながる。

コロナ禍におけるワクチン開発は国内でも研究開発している企業もあるが、政府は、既に外国から輸入することを公表し、段階的に接種が始まっている。欧米では新薬やワクチンの開発などはベンチャーが競い合い、刺激し合って取り組んでいる。製薬業界では、このようなベンチャーを大手製薬会社が買収するというケースが多い。成功の成果はベンチャー起業家が大金を手にすることで報われ、製薬会社は短期間で製品化し流通させることで投資効率を上げることができるからである。この業界では、いわば分業制ともいえる役割分担で経営効率を上げている。

ＧＡＦＡなどＩＴ業界では、伝説的ないくつかの企業がガレージで誕生し、幾多の難題を克服して成長し続けグローバル企業になっている。ＩＰＯや事業売却といった、成功した起業家の異なるイグジット戦略は、それぞれ起業家の人生観によるものなのか、社会の経済金融環境によるものなのかについても大いに研究の余地がある。

努力しても、報われない者もいるが、努力しなければ報われることはない。

一方、今の日本人は失う時間や投資するカネのリターンとして、何を欲しているのであろうか。

企業に対しては、二〇一五年六月、安倍内閣の成長戦略の一環として、上場企業を対象とした「持続的成長に向けた企業の自律的な取組を促す」、いわゆるコーポレート・ガバナンス・コードが閣議決定された。委縮していた大企業を攻めの経営に転じさせるべく、金融庁と東京証券取引所が主導。企業はこのコードを順守しているか、そうでない場合はその理由を記して年一回報告することが義務付けられた。義務付けられたこのコードの適用が思惑通り成功しているかどうか見極めるには時期尚早であるが、上場会社の役員構成が大きく変化してきたことは事実であり、思惑通り成長戦略としての企業統治が進むことを期待する。

起業家の情熱に応える投資と支援

本稿はコロナ禍を機会としてベンチャーから、国際企業へ成長する可能性の一端についても触れることが期待されているので、起業家を奮起させる公的支援策について若干述べておきたい。

公的支援の前に、何故起業したいのか崇高な目的が必要と思う。

それが、目的達成に向けて決して挫けぬ逞しい精神性の源泉となるからである。

私の経験から、カネがないから起業できないという物言いをする人物が偶（たま）にいる。奇抜な能力もあり、熱意もあり、馬力もありそうだが、カネがないと起業を諦める。誠に残念である。事業目的とその起業家の情熱に、カネが付いてくることを忘れてはならない。

起業することとは、単にカネだけではない。応援する専門家（公認会計士・弁護士・税理士・社会保険労務士・弁理士など）やアシストする人々が必要である。起業当初、起業家とその会社は一心同体である。ステークホルダー（株主・従業員・取引先・銀行・公的機関等）が多くなるにつれ、会社は「私」のものから「公」のものに変質していく。

公器ともなれば、コンプライアンス（法令順守）が当然であり、公正な市場において存在できなければならない。この基本的な前提を維持しつつ成長を遂げれば数年で上場企業の仲間入りも夢ではない。そこで、起業家すなわち、アントレプレナーに対し国はどのような支援策を打ちだしているか簡単に紹介しておきたい。それは投資家に対し税制面で優遇することにより、若き起業家に対する民間資金の投資を促進させる狙いがある。

投資家のメリットとしての「エンジェル税制」

創業間もない企業に投資した場合、その投資額を総所得金額から控除する制度がある。その他、創業一〇年未満で一定の要件を満たした中小企業への投資額を、他の株式譲渡益から控除する制度もある。起業家はこのような投資家を見つけて資金調達することが可能である。又、この制度については、都道府県に「エンジェル税制利用相談窓口」があるので活用したいところだ。

日本人は昔から貯蓄は好きだが投資には関心が薄い。「貯蓄から投資に」のお題目は五〇年も前から発信されているが一般国民に浸透していない。投機と投資の峻別ができないのである。子供の時から授業に取り入れている欧米等に、日本は学ぶべきであろう。

先日、三〇歳に近い、中国人の女性と話をする機会があった。中国の大学で日本語を学び、さらに大学院を卒業後、日本企業に就職した才媛である。両親と姉は本国にいるという。日本の文化や伝統、生き方や自由な暮らし振りに共感し、来年には是非日本国籍取得の申請をするつもりだと熱い思いを語る。若い外国人に日本人になりたい、日本に住みたいという願望を抱かせるような日本になることが、延いては国の活性化につながるものと思う。コロナ禍はこのことを明らかにしたといえるのではないだろうか。

アフターコロナに人類を救う起業家が続々生まれる

コロナ禍の間、人々は何が一番大切な事か、それぞれ模索していたに違いない。富める者も貧しい者も、国のリーダーも、医者も学者も芸術家も、地域に関係なくこのウイルスの猛威に怯え何らかの洗礼を受けた。ことさら入学式・卒業式・教室での授業・運動会・修学旅行等の学校行事が制限された学童・生徒・学生たちの無念さは計り知れない。このことが次代を造る若者の心に火種となってシンギュラリティなレボリューションを生み出す源泉になることであろう。

西欧型近代文明は、産業革命による資本主義の発展から、金融資本主義と言われる時代に入り、今やあらゆる分野で格差が生じてきた。

LAW AND ORDERを掲げながら、世界には自由主義圏と対比して非自由主義圏がある。

しかし、ＧＡＦＡ＋Ｍなどのプラットホームを駆使した商取引や金融は、全世界の経済圏を自由に移動している。彼らには既に国の概念が存在しないかに見える。自国・国益優先主義の政治体制を支持する人々が多く生まれているのも理解できる。国境を跨いだ商取引に対する課税権がどの国にあるのか、又、税源として金融取引税・デジタル税等も課題として浮上している。国際的にはＢＥＰＳ（税源浸食と利益移転・Base Erosion and Profit Shifting）に対する公正な行動様式の枠組みが形成されつつある。ビットコインなどの暗号通貨も通貨の概念を大きく変えてきた。

このような背景にあって、普遍的な精神性を備えた起業家たちの大いなる誕生を期待する。

新時代の「法と民衆」の在り方を問う

吉田良夫

(よしだ・よしお)：弁護士。明治大学法学部卒業。企業法務専門の法律事務所で14年間パートナー弁護士として活動後、2018年に吉田総合法律事務所を開設。代表弁護士として株式、経営権、労働問題(経営側)、契約業務等で活動中。公益財団法人の理事を務めるなど幅広い活動も行う。

新型コロナと恐怖の生活

人間の頭脳は生物的進化のプロセスの中で、特に意識しないでも自動的に、先々に起きてしまうかもしれない危険なことを想像する機能を備えるようになった。この危険想像機能のおかげで、人間は地球の気候変動に耐え、食料確保を果たし、ホモサピエンスだけではない他の種族との生存競争に打ち克ち、地球における生物の覇者として君臨している。

しかし、この危険想像機能は、起きてもいない心配事をわざわざ探して心配するという「取り越し苦労」という現象をもたらし得る。この危険想像機能は、発生してしまった心配事を自分の心の中で再生産し、拡大させ、大きな心配、大きな恐怖にしてしまうこともある。そうなると悲惨だ。自分が心の中で生み出してしまった大きな恐怖という怪物との「共同生活」になってしまうからである。恐怖との共同生活は人間から安心と活力を奪い、喜びや楽しみを感じることができなくなってしまう。他人への愛情が失せてしまうのだ。

今後も襲ってき得るパンデミックへの有効な対応を、ソフトローとハードローという観点から組み立て、根本的な精神的態度の徹底について述べようと思う。

他人への攻撃

新型コロナウイルス感染症によって、「不安と恐怖の生活」に陥った人は、非常に苦しい状況にいるので、自分より劣位な人を作り出して「自分はあいつよりましだ」という一時の相対的安心感を得ようとする。

それが新型コロナで、他人を「攻撃」する人が増えた理由の一つのように思えてならない。この他者への攻撃は、日本では、新型コロナの罹患者、医療機関従事者(医師、看護師、事務職等）に対して激しく行われた。それはあたかも、新型コロナ感染者は目の前から追い出してしまえ、と言わんばかりである。

特に医療機関従事者への攻撃は理不尽極まりない。攻撃する人も、新型コロナに罹患するかもしれないにもかかわらず、である。もし自分が罹患すれば、医療機関従事者に治療やケアを期待するはずなのに……。自分が罹患する前は攻撃し、自分が罹患したら精一杯の対応を期待する。なんというわがままで不合理な言動であろうか。しかし、それが日本の現実なのである。

一定の効果があった自粛要請

緊急事態宣言は新型コロナウイルス感染症対策の特別措置法（二〇二〇年三月一三日成立）に基づく措置だ。国家は、地域により異なるが、二〇二〇年四月七日から五月二五日まで、多方面の社会経済活動に対し自粛を要請した。他国が法的強制力のある都市封鎖及び各種活動制限（ロックダウン）を実施したこととと大きく異なる。

当初、海外からは日本の方針について「手ぬるい、甘い」といった批判がなされた。

しかし、その批判は的外れというべきであった。自粛とは、自分から進んで、行いや態度を慎むこと。日本では法的強制力のある活動規制より、政府が国民に対し「自粛」を求める方が、国民を動かす方法として「効果的」だったと思えてならない。

ハードローとソフトロー

私は、日本における自粛要請の実効性を考える上で、ハードローとソフトローの関係が参考になると考えている。ハードローというのは国家が制定する法律だ。法的強制力を持つことが多い。一方、ソフトローとは、「法的な強制力がないにもかかわらず、現実の経済社会において国家や企業が何らかの拘束感を持って従っている規範を指す」、などと定義される。ソフトローは、国際機関、国家、国際イニシアティブ、業界団体など多種多様な主体が作成する。エンフォースメント（強制的実行）の方法も、ハードローとは異なり、レピュテーションや市場等に委ねられる。そのため、何かを変えたいと思う組織（者）にとってはハードローよりソフトローの方が使いやすい、と言われている。肝心のエンフォースメント（強制的実行）についても、ハードローによる執行が難しい場面でも、ソフトローであれば実現しやすいようだ。

ソフトローは、誰かが策定し、それが伝播し、受容され、ハードローと並ぶエンフォースメントを得るまでに時間がかかる。しかし、国際社会や国内で、コーポレートガバナンス、サステナビリティ（環境・社会・経済の三観点から世界を持続可能にする考え方）、人権といった人類にとっての重要事項について大きな役割を果たしている。

ソフトローの具体例としては、企業倫理（各企業の自主的規制としての「企業倫理憲章」等）、CSR（企業の社会的責任）などがある。ソフトローがハードローに転化することもあり得る。

日本人の暗黙知のメンタリティ

もし日本で法的強制力により社会経済活動を規制しようとすれば、異論反論が続出し何も実行できなかったかもしれない。他方で、もし自分が罹患したら社会から差別されるという不安感、恐怖心があるので、社会全体を疫病から防ぐという危機意識は日本人には強く作用する。

つまり、国家が国民の安全のために自粛要請をした場合には、そのエンフォースメントは法的強制力よりも強固なものになりやすいといえる。実際にも、自粛については、社会の隅々にまで、かなりの社会的協力を得ることができ、新型コロナ対策としても一定の効果があったのではないだろうか。

このように考えてみると、日本では、法的強制力としてのロックダウンではなく、緊急事態宣言による自粛要請を選択したことは、「エンフォースメント（強制的実行）について短期間で社会的同意を得る」という意味においては、成功だったと思う。

夏目漱石は「I love you」を「月がきれいですね」と意訳したとされる。日本人は暗黙知のメンタリティを備え、暗黙知を好む。また、日本人は、言葉では伝えきれないことを、言葉を用いずに伝達する力を伝統的に備えている。

そのような国民性もあって、緊急事態宣言の自粛要請はエンフォースメント（強制的実行）という意味で成功だったと考える。

これは、日本版グッドチョイスと言って良いのではないだろうか（ただし、飲食店その他の業種で、自粛要請により休業せざるを得なくなり、補償が足りず倒産や閉店に追い込まれた悲惨な事例もあり、そのような出来事を正当化する意図はない）。

弊害としての自粛警察現象

しかし、コロナ禍では、自分が思う正義を他人にも強要する現象が起きてしまった。それが、自粛警察と呼ばれる現象だ。やむを得ず営業（開店）している店舗に誹謗中傷の貼り紙をしたり、県外ナンバーの車輌に傷をつけたりする行為だ。

みんなは誰かが正義を実行することを求めている。

だから自分がみんなのために正義を実行することは良いことだ。

…………

しかし、そこでいう「みんな」とは果たして具体的に誰のことなのだろうか。

日本の歴史との関わり（軍部と婦人会の関係）

私は自粛警察の話を聞くたびに、二〇一一年下半期放送のＮＨＫ朝の連続テレビ小説「カーネーション」の戦争時代の場面を思い出す。デザイナーコシノ三姉妹とその母の物語で、感動的なドラマであった。

その中で、主人公家族の大事な大事な宝物のミシンを、婦人会が「お国のため」といって取り上げようとした場面があった。あらがうことのできない厳しい召し上げの場面である。

私はてっきり、法律による強制回収かと思ったら、実は法律ではなく、婦人会が各家庭に「自主的な拠出」を求めたものだとわかって、非常に驚いた。ドラマでは、その後、婦人会で厳しく拠出を迫った方が、大事な息子を亡くし悲しげな表情で遺影を掲げ、道を歩いている場面があった。コロナ禍での自粛警察と似たような現象は一過性のものではなく、今後も同じ現象が起きることだろう。

新型コロナだけではない
未来の危機にどう立ち向かうか

過去の検討は未来を作るためにある。最近頻繁に指摘されているが、新型コロナウイルスだけではなく、新たな未知のウイルスは必ず出現すると覚悟すべきであろう。

新型コロナウイルスのパンデミックは禽獣との接触から始まった可能性も指摘されているが、同じパターンで新たな未知のウイルスが出てくるかもしれない。

また、地球温暖化もパンデミックを引き起こす要因になる可能性がある。地球各地には南極などの氷の世界や凍土が存在する。それらの中には、我々ホモサピエンスが出現するより遥か以前に活動していた未知のウイルスが、非活性化の状態で存在（混入）していると言われている。それらが地球温暖化により水になり軟らかな土になることで、ウイルスが活性化して人類を襲うことは十分に想定し得ることである。それに日本は大地震が必ず発生する地震災害国家である。

我々はどうしたらよいのであろうか。私は国家の「危機管理」は政府や政治家だけの責務ではなく、国民一人ひとりの危機を乗り越える心こそが大事だと思っている。そのためには、一人一人の民衆としての「心の在り方」が重要ではないだろうか。

他者を攻撃する社会は、災害や危機を乗り越える力が弱い。他者を愛し思いやる社会は、災害や危機を乗り越える力が強い。これは間違いのないことである。

随処に主となれ（従となるな）

では、どうしたら、「他者を愛し思いやる心の在り方」を作ることができるのであろうか。

私は、次の言葉を考えてみたいと思う。

随処に主となれば立処皆真なり。臨済宗の開祖、臨済禅師の禅語と言われる言葉である。

「随処に主となる」は人生で非常に大事なことである。これを新型コロナとの関わりで考えれば、付和雷同せず、他人の意見に安易に自分の心を迎合させないということである。

誰しも心の中に、嘘偽（うそいつわり）を嫌う誠の気持ちがある。

気高い愛の気持ちがある。

他の人との調和を大事にする気持ちがある。

誠と愛と調和の心である。

世の中の多くの人がストレスによる感情の高まりで攻撃的な世相になったとしても、自分も一緒になって心の主体性を失うべきではない。自分に対しても他人に対しても、愛情を持って接するべきである。そうすることで他人を攻撃するときよりも、ずっと心が豊かになる。心の豊かさは心を健康にする。心の健康はダイレクトに身体の健康につながる。心と身体は密接不可分の相関関係にあるからだ。

そして、このような各人の心身の健康維持が社会を安定させ、豊かな幸せをもたらすのだ。この世は喜びと楽しみに満ちているのだから。

コラム

脱近代への道しるべ

山口武彦

（やまぐち・たけひこ）：1942年生まれ。66年東京大学法学部卒、第一生命保険入社。91年英国第一生命社長。95年第一ライフ損害保険取締役。2003年国際保険振興会理事長。06年ライフネット生命保険常勤監査役。09年同上退任。

近代を乗り越え脱近代へ

ヒトの活動量に対して自然のキャパシティが充分大きかった時代には、ヒトが自然を統御し、征服する行動に、不当性や不条理さはみじんもなかった。自然界はすべて人類のためにあるとする人間第一主義のもとで、ヒトは近代化を成し遂げ、先進国は物質的な豊かさを享受することとなった。

しかし、いまヒトは自分たちの生活圏の拡張によって、他の生物の生態系を破壊し、多くの種を絶滅に追いやり、また空気や水や気候等、自らの「生」の根本を脅かすような危機をも迎えようとしている。いまや人間第一主義は考え直されなければならない。

本稿ではヒトの「生」の根源にまで遡って、生命活動の原型を明らかにする。これは多分人類史上初の考察だと考えている。そこから脱近代の哲学が生まれ、そして脱近代がはじまるのだ。

宇宙と世界と生命のあり方を語る

次ページの図は宇宙と世界と生命の関係を図化したものだ。宇宙は物質とエネルギーによってなり、物理作用、化学反応によって変化する四次元時空だ。宇宙は、もとはといえば無生物の構造体であり、その構造の中から生命体が生まれた。近代科学によって明らかにされているこの定説にのっとれば、宇宙にはすべての無生物と生物が、物質とエネルギーの形式で実在することはあきらかだ。ヒトも宇宙においては物質とエネルギーに過ぎない。

ただ生命には、物質やエネルギーだけではないなにかがある。このなにかを明らかにしなければ、生命は語れない。これからそれを明らかにしようと思う。

宇宙は、図では地球のまわりを取り囲む、広大な二次元平面によってあらわされている。その中の地球に実在するある種の生命体からは、原世界が跳び出し、そこからさらに世界が跳び出している。物質である生命体が、地球外（宇宙外）に原世界や世界を跳び出させる活動を、生命が為す『表象活動』と表現するとしよう。宇宙に誕生した生命は、『表象活動』を為すことによって、宇宙外に世界をあらわにして「生」を生きることになる。

生命が為す活動には、ほかに『代謝活動』と『実践活動』がある。この三活動についてこれから順次述べていく。「宇宙」と「世界」をこの三活動との関係において捉えることによって、生命活動を「生」の根源にまで遡って明らかにすることができる。これはいま

宇宙内の生命から宇宙外に世界が跳び出す図

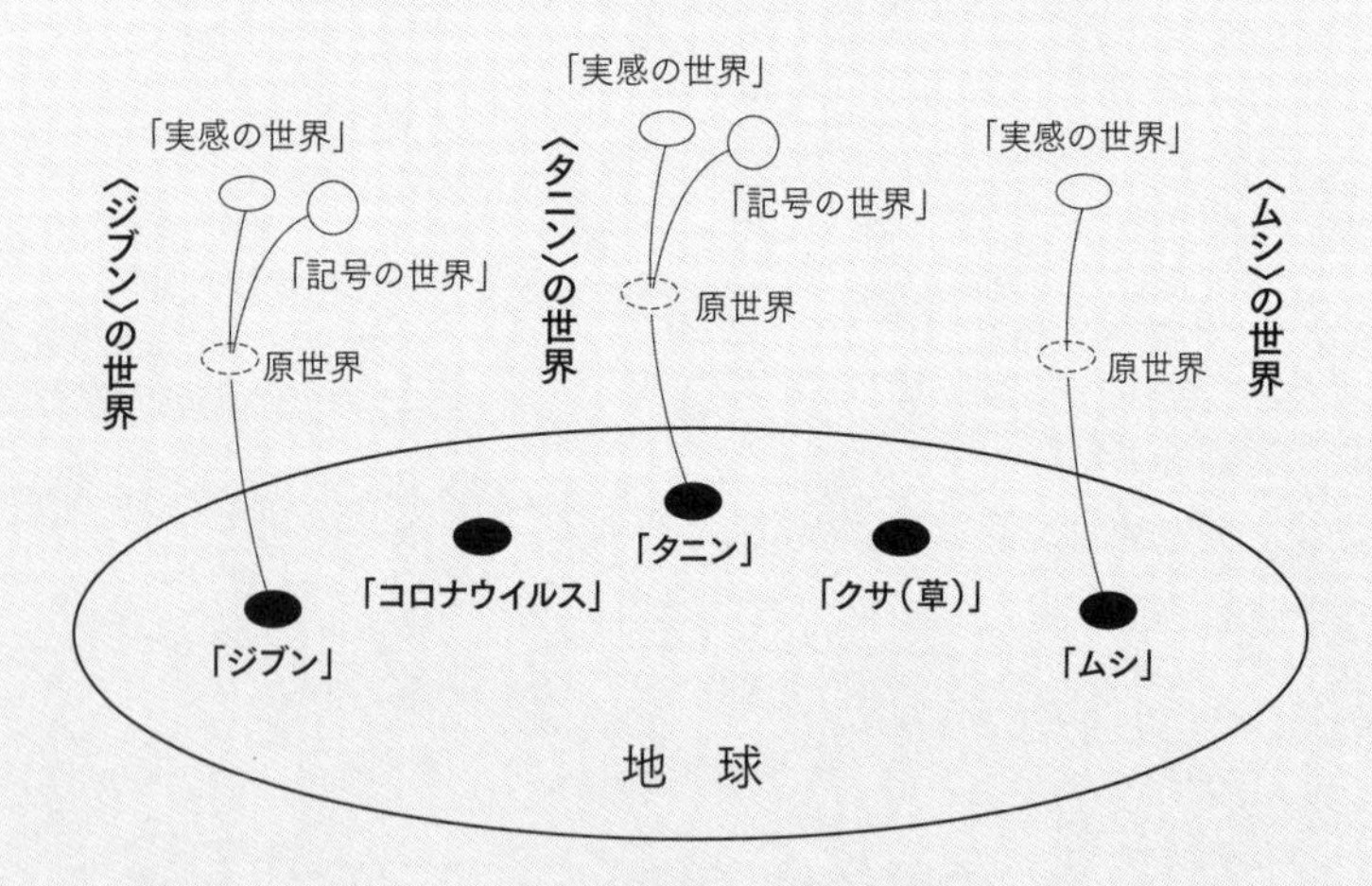

注)

・図では、宇宙は無限に広がる二次元平面として表現されていて、そこに地球平面が楕円形で表現されている。

・地球平面には、原子や分子や細胞等の物質で構成される「ジブン」「タニン」「ムシ」「クサ(草)」「コロナウイルス」などが実在する。

・動物である「ジブン」「タニン」「ムシ」からは、宇宙空間の外に原世界が跳び出し、「宇宙」と対比される「世界」をあらわにするもととなる。

・原世界はすべての世界の扇のかなめの位置にあるが、宇宙を跳び出しているので物性やエネルギー性はない。

・原世界は『表象活動』によって創発し、宇宙内の構造体である生命体(生物)と宇宙外の非物質的な世界を結び付ける役割を果たす。

・ヒトである「ジブン」「タニン」の原世界からは、〈ジブン〉の世界、〈タニン〉の世界である「実感の世界」と「記号の世界」が宇宙外に跳び出す。

・「ムシ」の原世界からは、〈ムシ〉の世界である「実感の世界」だけが宇宙外に跳び出す。

・植物である「クサ」からは世界は跳び出さず、ただ地球上で『代謝活動』を為して実在するのみである。

までにはない考えだ。戸惑いを覚えるかもしれないが、是非理解して頂きたい。

代謝活動

地球上、すなわち宇宙平面には「ジブン」「タニン」「ムシ」「クサ（草）」等に代表される各種の生物が実在している。生物は『代謝活動』を行って、地球上にモノとして、すなわち生物としての「生」を生きているのだ。『代謝活動』とは栄養をエネルギーに変えて行われる活動で、呼吸、消化、筋肉の動き、脳と神経の活動、ホルモンによる調節、免疫による感染予防や植物の光合成など、生命体が生命維持のために為す物理作用と化学反応だ。生物と非生物は『代謝活動』をするか、しないかによって分けられると考える。

生物の中でも「クサ」や「コロナウイルス」には、世界はない。「コロナウイルス」に世界がないのは明らかだが、脳神経系統をもたず、明確な心や意識がない「クサ」にも世界はあらわれない。世界のない植物の「生」は、受動的、すなわちなるがままの「生」。ヒトも全身麻酔をしたり熟睡しているときは、『代謝活動』により受動的な「生」を生きるだけだ。生命体の「生」の活動の要件のひとつである『代謝活動』は、このように理解することができるだろう。

表象活動

ヒトやムシからは、感官を通じて実感する「実感の世界」が、そしてヒトからは、記号を操作して制作される「記号の世界」が、宇宙から跳び出した楕円とバルーン状の円のなかに〈イミ〉や〈カチ〉としてあらわれる。生命に世界をあらわにさせる生命体のこの活動を、本稿は『表象活動』と名付けた。

ヒトが「五感」によって〈ミタ〉り〈キイタ〉り〈カイダ〉り〈アジワッタ〉り〈サワッタ〉り、また、ムシが触角で何かを〈カンジ〉たりするのは『表象活動』だ。また、ヒトがコトバや記号を使って考え事をするのも同様。この活動の結果、楕円と円の中に世界があらわれてくる。

「表象」は、本稿では「ナニカ」を〈ナニカ〉として①〈カンジ〉ること、また②「考える」こと、とする。従って『表象活動』は、〈カンジ〉たり「考える」ことによって、世界をあらわにさせる活動となる。〈イミ〉や〈カチ〉は世界にあらわれるのであり、物質で構成される宇宙には存在しない。世界が『表象活動』によって宇宙から跳び出して、〈イミ〉や〈カチ〉として個々の生命に個別にあらわれることを、このように理解して頂きたい。

なお、世界のあらわれのもととなる原世界は、宇宙と世界、すなわち物と〈イミ〉〈カチ〉を結び付け、デカルトの心身問題に決着を付ける重要概念だ。一言だけ述べておくと、原世界は、生命が宇宙内の物を概念として捉え、その物の意味を世界に刻むために、宇宙の外に創発する世界の素であると考えられる。

実践活動

『表象活動』により、宇宙外に〈イミ〉や〈カチ〉をあらわにする「ジブン」「タニン」「ムシ」等の生命体は、その世界をもとに宇宙に向けて能動的すなわち積極的に働きかけを為す。ムシは、餌が〈ミエ〉ればそれを食べるし、敵が襲ってくるのを〈カンジ〉れば、そこから逃げだす。

ヒトの場合はムシよりもっと多様で、考えたことを他人に向けて話しかけたり、この本のように宇宙空間に文章にして残したりする。また考えたことや、他人の話すことをもとに、「ジブン」で行動を起こしたり集団で行動したりもする。

これらの活動を、生命体が、あらわにした世界のもとで、宇宙に向けてなす『実践活動』としよう。宇宙は生命体の『実践活動』によって掻き乱される。ヒトの『実践活動』の強大化が、いま地球に深刻な状況をもたらしている。それがまさに環境問題だ。

「マクロ哲学」の提唱

生命の「生」の活動は、以上のように『代謝活動』『表象活動』『実践活動』の三活動に類型化することができる。これが「生」の原型だ。諸学問やその基礎となる哲学、芸術活動、ヒトの日常生活等すべてが、原型としてのこの三活動のもとで成り立つ。

三活動と宇宙、世界、生命の関係を考究する哲学を、仮に「マクロ哲学」と名付けるとしよう。「マクロ哲学」は「ミクロ哲学」と対置される。有名なソクラテスやプラトンをはじめとする古代ギリシャの哲学から、現代哲学に至るまでの哲学では、哲学者が時代と格闘しつつ、存在、実在、実体、認識、意識、観念、表象、現象等について論じてきた。これらが「ミクロ哲学」だ。

一方、「マクロ哲学」は、思考と行動の双方について基礎付けを図り、「〈ある身体〉↓〈する身体〉」へとヒトを駆り立てる、精神的態度を視野に入れた哲学のことを指す。それは『代謝活動』『表象活動』『実践活動』のもとで、ヒトが「生」の活動を為すために立脚する「プラットフォーム」であり、ヒトの「命」を躍動させる「スプリングボード」ともなる哲学だ。別の言い方をすれば、「マクロ哲学」は「形式哲学」「基礎哲学」「メタ哲学」「始原の哲学」ともいえる、価値観を伴わない形式のものなのだ。

ヒトやムシは、①宇宙において種の保存や個体を維持する『代謝活動』を為し、②宇宙から世界を跳び出させる『表象活動』を為し、③『表象活動』によってあらわれる世界のもとで、宇宙に働きかける『実践活動』を為して、「生」を生きている。「マクロ哲学」は、この①〜③の活動を矛盾なく論じている。

筆者はこの哲学がすべてのヒトに理解され、生命の「生」の活動について合意が得られることを願ってやまない。そこから脱近代について具体的な議論が始まり、脱近代についての「ミクロ哲学」が生まれ、アフターコロナ社会への展望が開けてくることを確信している。最後に「マクロ哲学」を踏まえた、脱近代の「ミクロ哲学」をかたちづくる背景の一端を展望して、いくつか所感を述べておこうと思う。

「アフターコロナ社会」に向けた展望

(1) ヒトの代謝活動を脅かす厄災の排除

厄災はすべて、ヒトの『代謝活動』、すなわちヒトの生命、身体を脅かす。人類は、いかなる厄災に対しても、知性と理性を持って凛として乗り越えるべく、希望のもとに

「命」を生きなければならない。近代までとは違い、これからの厄災はすぐに全地球規模に広がる。国家にしろ個人にしろ、他国や他人に厄災を押し付けて逃れることはできないのだ。

戦争のような人災も、地震・津波のような天災も、気候変動や大気汚染のような長期的な環境問題も、そして今回のようなパンデミックも、国々・人々の地球規模での連携・連帯のもとで適切な対応が為されなければ、破滅的な被害を被る。特に今回のコロナ禍や、気候変動をはじめとする環境問題への対応については、地球で暮らすすべてのヒトと、ヒトが属するすべての国家が、一丸となって対処していかなければならない。

(2) 人類が遺してきた遺産の公平な分配

人類が遺してきた遺産について述べようと思う。ヒトは他の動植物が持つことのない「記号の世界」、すなわちコトバによって、文明や文化を代々継承してきた。その結果人類は、遺伝子上はそれほど大きな違いがない類人猿と較べて、圧倒的に豊かな暮らしをするようになった。

人類としての全的発展には、個々人が持つ遺伝子より、集団としての文化や文明の伝承に負うところが圧倒的に大きい。さすれば亡き先人が遺した知的遺産を活用する権能は、本書をお買い上げいただき、誠にありがとうございました。
質問にお答えいただけたら幸いです。

◎ご購入いただいた本のタイトルをご記入ください。

『　　　　　　　　　　　　　　　　　　　　　　　　　　　』

★著者へのメッセージ、または本書のご感想をお書きください。

●本書をお求めになった動機は？

①著者が好きだから　②タイトルにひかれて　③テーマにひかれて
④カバーにひかれて　⑤帯のコピーにひかれて　⑥新聞で見て
⑦インターネットで知って　⑧売れてるから／話題だから
⑨役に立ちそうだから

生年月日　西暦　　年　　月　　日（　　歳）男・女				
ご職業	①学生	②教員・研究職	③公務員	④農林漁業
	⑤専門・技術職	⑥自由業	⑦自営業	⑧会社役員
	⑨会社員	⑩専業主夫・主婦	⑪パート・アルバイト	
	⑫無職	⑬その他（　　　　　　）		

ご記入いただきました個人情報については、許可なく他の目的で使用することはありません。ご協力ありがとうございました。

郵 便 は が き

お手数ですが、
切手を
おはりください。

1 5 1 0 0 5 1

東京都渋谷区千駄ヶ谷 4-9-7

（株）幻冬舎

書籍編集部宛

ご住所 〒 都・道 府・県	
	フリガナ お名前
メール	

インターネットでも回答を受け付けております
https://www.gentosha.co.jp/e/

裏面のご感想を広告等、書籍の PR に使わせていただく場合がございます。

幻冬舎より、著者に関する新しいお知らせ・小社および関連会社、広告主からのご案内を送付することがあります。不要の場合は右の欄にレ印をご記入ください。 不要 □

この世に生きるヒト全員に付与されなければならないはずだ。しかし、実際に先人から遺された有形無形の膨大な遺産は、一部の国や一部の富裕層の利便に供され、財は地球上に大きく偏在してしまっている。

我々はいま、「生」を生きるすべてのヒトが、先人の発明や発見等の知的財産を等しく享受できるような社会の仕組みを作り上げるべく、脱近代に向けた『実践活動』をしていかなければならない。単なる金銭での援助や実物給付だけでは人の生活の格差は解消せず、難民問題は解決しない。これからは草の根の現地指導や地域における局地戦闘の撲滅により、人々がその地に幸せに暮らし、難民の流出や、他の地への流入が生じないような状況を、作りあげていく必要があるのだ。難民問題をこのままにしておくと、地球上の各地で不安度が増す。これからは資本主義に基づく財の生産や分配方式にも、変更を加える必要が出てくるかもしれない。

(3) 人類にわだかまる憎しみ等の負の遺産の解消

さらにいまひとつ問題提起したいと思う。「記号の世界」によって伝承される人類の遺産には、発明・発見等のプラスの遺産がある反面、恨みや憎しみや差別等が継承されるというマイナスの遺産もある。人種問題や民族問題や宗教問題は、各地域や時代にその都度生起するが、それらは集団間の憎悪となってわだかまり、代々語り継がれていくものだ。このマイナスの遺産の解消に関しては、人類は歴史を通してずっと、まったく無力であった。特に近代はそれらが地球規模にまで増幅されてしまった。

（4）未踏領域に向けての脱近代の「ミクロ哲学」の確立とその実践

プラスの遺産の全人類への公平な継承と、集団間にマグマのように渦巻くマイナスの遺産の解消は、これからを生きる子供や孫たちと一緒に取り組まなければならない、時間を要する大仕事である。

筆者は人類のこの正負双方の遺産への対応こそが、パンデミックを機に人類が未踏領域に踏み込んでいく際の、精神的態度の中心に据えるべきものであり、実践の哲学を確立して、問題の解決解消に全力を傾注していく際の、最大の留意点と考えている。

第4章

快適な生活を導く空間づくり

「室内気候」の産業化
〜コロナに強い室内環境のデザイン

平山禎久（ひらやま・よしひさ）：ピーエス代表取締役。1964年東京生まれ。米国タフツ大学卒業後、ドイツと英国に研究留学。英国クランフィールド大学にてPh.D.取得。岩手県立大学、クランフィールド大学北九州研究所などで非常勤講師を務めた。現在、日本医療福祉設備協会理事、国際医療福祉設備連盟（IFHE）理事を兼ねる。

ヒトが、室内で過ごす時間は人生の九割以上になる。健康のために、換気の重要性が改めて問われているが、一九六〇年創業の空調設備メーカのピーエス（PS）は、室内でのヒトの活動能力は、その空間の環境に左右されると考え、「空気・温度・湿度」を整える設備をシステム的に産業化する専門メーカとしてユニークな存在感を維持してきた。

それは単に「空調」設備として、空気を一定の温度や湿度に制御するだけではなく、その地域の気候や季節の変化をも取り入れた「第二の自然としての〈室内気候〉を創る」という、「自然」を重視する思想によるものであった。その実現には、周囲の環境を活かした建築と設備機器、ヒトの活動（機器の使われ方）がうまく噛み合っていることが大切である。こうして飛沫感染が主となっているコロナ禍への備えを室内環境面から創っていく。

産業化の哲学：社会性ある企業理念

企業理念としては、「自然＋ＰＳ」というフレーズを用いた。ヒトと自然の微妙な関係を把握して、序章でも述べられている、快適（KAITEKI）な環境を生み出して、ヒトの健康を後押しする「室内環境」を産業化することを目的としている。企業として単に製品を世に送り出すだけではなく、生産者の全てが消費者を含めた社会の一員であると自覚し、ヒトが健康で快適な経済活動とともに省資源を実践することで、広く社会の共感を得て、総合的な価値観を共有し、企業の社会的責任を果たすことである。

二〇二〇年、人類は新型コロナウイルスによる世界的パンデミックに遭遇し、ヒトとして新たな社会活動の改革を推進すべき年となった。一方、地球規模での「気候変動」という大きな変化に直面し、私たちは日常的に〈エネルギー変換〉への具体的なチャレンジを実践すべく、改めて日本の湿度、日本の猛暑にしっかりと向き合い「室内気候」を考えることが重要な課題となってきた。

「自然対流」を活かす：シンプルかつ新鮮な技術システム

室内に設置された暖房用ラジエータ（写真参照）には温水（或いは冷水）を配管で送り循環させる。ラジエータにより暖められた（冷やされた）空気は自然対流と放射（輻射）により室内を穏やかに暖める（冷やす）セントラルシステムとなっている。一般的空調機器のように、温風（や冷風）を室内に送り込み、強制的に循環させるのではない。

創業者である平山敏雄は、米国による対流式空調技術（エアコン）が圧倒的に普及している時代に、温水を使ったヨーロッパのラジエータによる放射暖房技術に着目し、スイスの企業との技術提携を行い、日本での生産のために工場建設に踏み切ったのである。

北海道に建設された工場では、冬は外気が氷点下一〇度以下に下がる寒冷地において、自社生産の放射ラジエータにより、三〇度から四〇度の低い水温の暖房システムで「寒い冬」を「豊かな冬の室内気候」の環境につくり替え、そのシステムが事業の柱となったの

ピーエスのラジエータ製造工場の渡り廊下（北海道北広島市）　室内ラジエータで風のない放射（輻射）暖房が実現した

である。

自然林の中での実証実験

一九九二年に、岩手県松尾村（現八幡平市）の豊かな森の中に実験工場を完成させた。この建物を実証実験場として、それまで長年培ってきた温水暖房の技術を、冷房にも応用するための技術開発に取り組み、「除湿型放射冷暖房ラジエータ」を製品化したのである。

この時重視したことは、室内でも外部の自然環境の恩恵を享受し得ることで、自然を感じながら快適に活動できるオフィスや工場空間の実現であった。室内の植物は活き活きと育ち、ヒトも健康的に活動しやすい空間となっている。

ここでは植物が、室内環境のバイオセンサーとして、ヒトにとって健康的な居住環境をモニタリングする役目を果たしている。こうして四季の移ろいも、二四時間の変化も室内気候として実現させている。

この工場は二〇〇八年度、第九回日本建築家協会「ＪＩＡ環境建築賞最優秀賞」、および第一八回日本建築家協会「ＪＩＡ25年賞」（二〇一八年度）受賞の栄誉に輝いている。

湿度コントロールの重要性と事業化

「室内気候」にとって、もう一つ重要なのが湿度である。日本の夏は湿度が非常に高く、しかも冬は乾燥する気候風土であり、ヒトにとって室内空気の湿度は健康維持に大事な役割を担うことになる。

先進的疫学研究から、湿度が呼吸器免疫系の反応や空気中のウイルスの伝播、不活性化に大きく影響することが検証されてきた。パンデミックに関係なく「室内の湿度」が適正に保たれることの重要性がＷＨＯでも検証され始めている。

加湿、除湿技術は産業分野においても重要な役割を担っている。最新のＩＣＴ産業をはじめ、様々な生産現場における品質や生産性を確保すること、研究開発の現場、食品の保存や熟成、古文書や美術品の収蔵など、あらゆる分野で適確な湿度環境をつくり、維持する技術が常に求められている。それは日本の経済、産業、文化活動を室内気候という側面から支える専門分野であり、私たちが目指すコロナに強い事業の柱でもある。こうして、今後予想されるパンデミック危機に備えていくべきである。

エコロジーとテクノロジーの融合をめざして

森村潔

（もりむら・きよし）：森村設計代表取締役社長。1975年大阪芸術大学芸術学部建築学科卒。76年、東京工業大学工学部建築学研究生、終了後、技官に就任。86年、森村協同設計事務所（現森村設計）入社。95年から現職。2013年から19年まで日本医療福祉設備協会会長。2000年から国際医療福祉設備連盟（IFHE）評議員。

ヒトに優しい快適な住環境の原点は、〝常に自然環境にある〟ということを念頭に置きながら、環境とテクノロジーの融合を目標としたエンジニアリング・デザインをめざしてきた。具体的には、弊社が携わるプロジェクトを「自然エネルギーの活用」「合理的なエネルギーの利用」「快適環境」「生命維持」という四領域に分類し、私共のデザイン理念をさらに深化し融合化することにつとめている。こうして今後も襲うコロナ禍へ備えたい。

科学的緻密さと感性を融合した自然環境

このことは、表題に掲げた「エコロジーとテクノロジーの融合をめざして」というテーマを具体化する手段の一つとして「エビデンス・ベース・デザイン」（科学的根拠を基にした設計）を集積することなのである。

新型コロナウイルス感染症は、罹患者が喋ったり咳をしたりして気中に放出する微粒子によって感染が広がる場合が多いと言われているので、われわれの住環境が鍵となる。したがって自然界に関する科学的な分析データはもとより、ヒトの感性による感覚をも重視して、両者を融合した設計思想を確立することが「アフターコロナ社会」における、われわれの課題であり、またコロナ禍はこの課題に挑戦するよい機会である。言い換えると、設計コンサルタント事務所においてはデータ的な緻密さと同時に、ヒトの感性を基にした設計感覚を重視することである。

社会的な課題としても、問題解決には科学的なデータのみではなく、ヒトの感性の側からの解決策をも模索しなければならない、ということだ。現在話題のＡＩ（人工知能）は、こうした機能をコンピュータに持たせることなのである。

日本人は、古くから生活の中で、熱やエネルギーを大切にしている。こうした日本古来の思考が、技術革新の現代にあって、またアフターコロナ時代の中で発揮される。

（1）自然エネルギーの活用

身の回りには、余り利用されていない自然エネルギーが満ち溢れている。例えば、太陽光、熱、風力、地熱、雨、雪、雷など、化石燃料を利用するよりも、自然を有効に活用すれば「環境に優しい」計画が可能となる。

私たちは、時として有害になりうる自然エネルギーの調和を図りながら知恵と技術で有効活用するシステムを提案し、いくつかのプロジェクトの中で実現してきたのである。

二〇一五年に国連の「持続可能な開発サミット」においてＳＤＧｓへの取り組みが採択されたことに加え、二〇二〇年からのコロナ禍の中で脱炭素社会への流れが世界の潮流となり、多くの国々にて気候変動対策を経済成長への原動力ととらえ、二酸化炭素（CO_2）排出の実質ゼロ実現の表明が急速に進んでいる。各種産業においても、脱炭素イノベーションが求められることになってきた。

（2）合理的なエネルギーの利用

化石燃料を消費し、有効なエネルギーを生み出すことは、日常生活上に不可欠な熱源を確保できる反面、環境に悪影響を及ぼすCO_2、SO_X、NO_Xなどを排出することになる。そこで、わずかな燃料の消費で、最大級の効果が上がる設備システムにより、化石燃料の使用量を削減し、ひいては、有害な副産物の発生を抑制するのである。地球環境の保全を考える上で、設備のシステム設計は重要な役割を果たす。例えば、一度廃棄したエネルギーを回収し再利用したり、エネルギーを水などに蓄熱することにより、合理的な利用を図ることができる。

発エネルギー産業（エネルギーを発する側）の多様化と同時に、要エネルギー産業（エネルギーを使う側）においても、システムの多様化が産業として促進されてきた。例えば、分散型電源と言われている産業分野である。

産業システムが複雑化すると共に、各種機器のすべてに安全率を掛け、さらに設計したトータルシステムの安全率をも緻密に考慮するようになっている。システムにおいて、すべてが同時にピークが起きることはないと考えられるが、安心・安全の社会的な要請が極めて大きくなり、何処まで応えていくのが真の合理化に繋がるのか悩むところである。この分野もビッグデータとＡＩの活用が期待できる。

(3) 快適環境

劇場やホールなどの大空間や、データセンターなど複雑な機器を設置する施設は、一般の施設とは異なる特異な技術を必要としている。例えば、大空間の温度成層や居住域空間などは、コンピュータ・シミュレーションにより解析し、言わば設置される機器にとっても快適な環境となる最適なシステムを提案している。

こうした概念は、国際的な環境問題への認識の拡大と共に、ヒトの関与するあらゆる領域に拡張されてきた。例えば、序章で小林喜光氏が述べている、国際性を指向した「KAITEKI 経営」という言葉は、その一つと考えられる。

(4) 生命維持

二四時間一刻も機能を停止させることなく、稼働し続ける施設は多い。データセンターでは、何事があっても施設の生命線である電気／設備のシステムがダウンしないように、二重三重のバックアップが不可欠である。水族館では、水循環システムや溶存酸素の監視が二四時間欠かせない。また美術館では、展示物の温湿度の調整に失敗すると、歴史的な遺産を損失することにもなる。

施設の設備の危機管理を行い、計画段階から運用まで一貫した環境をつくることも、私たちの重要な業務の一つである。

さらに、「真理の探究」と言われる「真理」は、われわれの生命現象そのもののプロセスに存在する、と考えられている。言い換えると、すべてのヒトは「真理」と共に生きながら、なかなか「真理」に気づかずに日常生活を過ごしているのである。

ヒトの「生存」とは、生命維持という壮大な生命エネルギーの中で営まれるプロセスであり、ヒトとしての日々の「生活」とは、それぞれが生命維持のプロセスで演じるドラマなのである。そこに、ヒトとしての優雅なる「生活の情味」が生まれると、コロナ禍を機に改めて考えるところである。

五〇～一〇〇年を見据えた設計思想

菅政権も、二〇五〇年を目標に「グリーン成長戦略」としていくつかの政策を打ち出している。三〇年後に実現をめざしているのである。新政策や開発目標などが、原理的に正しく技術的にも実現可能なものであれば、そのための技術開発や、国民の多様な意見や意識の収斂（しゅうれん）などを考えると、具体的にヒトの社会を変革するには三〇年という歳月を要するようである。

われわれも創業時の精神的態度に立ち返り、直近の現実的な問題解決と共に、五〇年から一〇〇年先を見据えた設計思想の確立に努力する所存である。

わが社では二〇一五年（創立五〇周年時）に、「考え抜かれた明快かつ洗練されたエンジニアリングをめざす」という意味で、「シンプルソリューションの提供」を標榜し、社会から求められている持続可能な社会への実現の一端を担うことを目標に、デザイン理念を「持続可能な社会へのシンプルソリューションの提供（Simplified Solutions for a Sustainable Society)」としている。コロナ禍を機に、決意を新たにするところである。

〈スマートシティ〉闊達な生き方と社会システム

岡村久和

（おかむら・ひさかず）：亜細亜大学都市創造学部教授。１９８２年早稲田大学商学部卒、日本ＩＢＭ入社。日本のスマートシティ事業を牽引。２０１６年亜細亜大学都市創造学部「国際交流委員長」。17年に世界で最もスマートシティに影響のある50人に選出。スマートコミュニティ立ち上げをはじめ、多くのスマートシティ政策を支援する。

日本のまちと社会の強さとコロナ

ヒトが住み暮らし働いているところをまちと呼び、村と呼び、集落などと呼ぶ。City という英単語はラテン語の civitas（市民の共同体、市民権）から生まれた言葉である。ヒトの集まるところ、という意味から都市や市などの派生した意味を持つ。まちは、ヒトが住み続けるために産業から防災まで多くの機能を持ち、新型コロナウイルスをはじめとする病原体の感染拡大防御もその重要な一つである。

日本は〝まち〟の機能の一つである感染拡大防御機能が本来非常に高い。日本のまちにも他国の様に、この病気を軽視しマスクに反対するヒトはいるが、実際にはほとんどのヒトがマスクを着けている。ほとんどの店に消毒液があり、多くの人々が消毒を行ってから店に入り消毒をしてから外に出て行く。二〇二一年一月現在、新型コロナウイルス感染症の第三波で日本は大混乱しているが、それでも日本は〝社会で決められたことを多くの人々が実直に守っている〟、すなわち「規律と秩序を集団で守る」都市国家なのである。

この日本のまちと社会の圧倒的な強さを、私たち日本人はもっと誇りに思うべきである。これこそが世界に通用するスマートシティであり、スマートシティで形成された国、日本である。そしてコロナ禍を機に、このスマートシティを産業化し、世界各地と連携して、ベネフィットを具現化すべきである。

スマートシティとは、より良いまちのこと

私が、二〇〇八年にスマートシティの旗を掲げ、霞が関から多くの企業への行脚(あんぎゃ)と布教

を始めた頃、多くの社会や人々から〝スマート〟とは、かっこいい先端ＩＴ技術と受け取られていた。しかし、英語の“Smart”はＩＴや先端技術を意味する言葉ではない。“Good”が持つ〝良い〟というニュアンスよりも、賢いと言う意味を含んだ日常の言葉である。これにシティがつけられたスマートシティは、これまでよりより良いまちのことである。新型コロナウイルスの感染者の数字だけで見ても、日本は他国よりもまちとして、良いスマートシティなのである。日本は国全体が、他よりもより良いまちの集合体であるということになる。

「規律と秩序を集団で守る」日本人

日本人の特長は「規律と秩序を集団で守る」ことだと思う。集団には、結(ゆい)、地域、企業と様々な形があり、集団とは社会を意味している。もちろん、私たち日本人は「規律と秩序を集団で守る」ことに関しては他に類をみない。

先進国である米国、ヨーロッパでの規律や秩序の守り方とは、自主的に秩序や規律を守るのか、守らざるを得ないのか、その性善説と性悪説の考え方に根本的に違いがある。

スマートシティ＝ハイテクの誤解

最近、国内でもスマートシティという言葉が聞かれるようになったが、政府から小さな自治体や企業まで多くがスマートシティをハイテクやデータを使った都市と考えている。それは明らかに国際的なスマートシティとは違う。国際的なスマートシティとは、多くの企業や人々、自治体が集まって健全なビジネスを「それぞれの今の仕事」で続けられるために、より良いまちをつくる「産業」なのである。都市の規模が小さくても大きくても、商店は繁盛し、鉄道は乗降客が増え、通信企業は携帯電話の利用が増えている。自治体は住民税や事業税が増え、金融は融資や投資が増える。

二〇〇九年ごろから、日本で言われ始めたスマートシティは、一〇年たっても相変わらず「スマートシティ用の製品開発」「そのハイテク製品を使った都市」という理解から脱却していない。まさに、日本で独自進化したガラパゴス的ビジネス用語の理解である。これが国際スマートシティの産業競争に、日本企業がほとんど参入できていない根本的な原因でもある。本来その産業モデルは、日本が最も得意とする取り組みであるにもかかわらずだ。

図1　スマートシティの目的とゴール

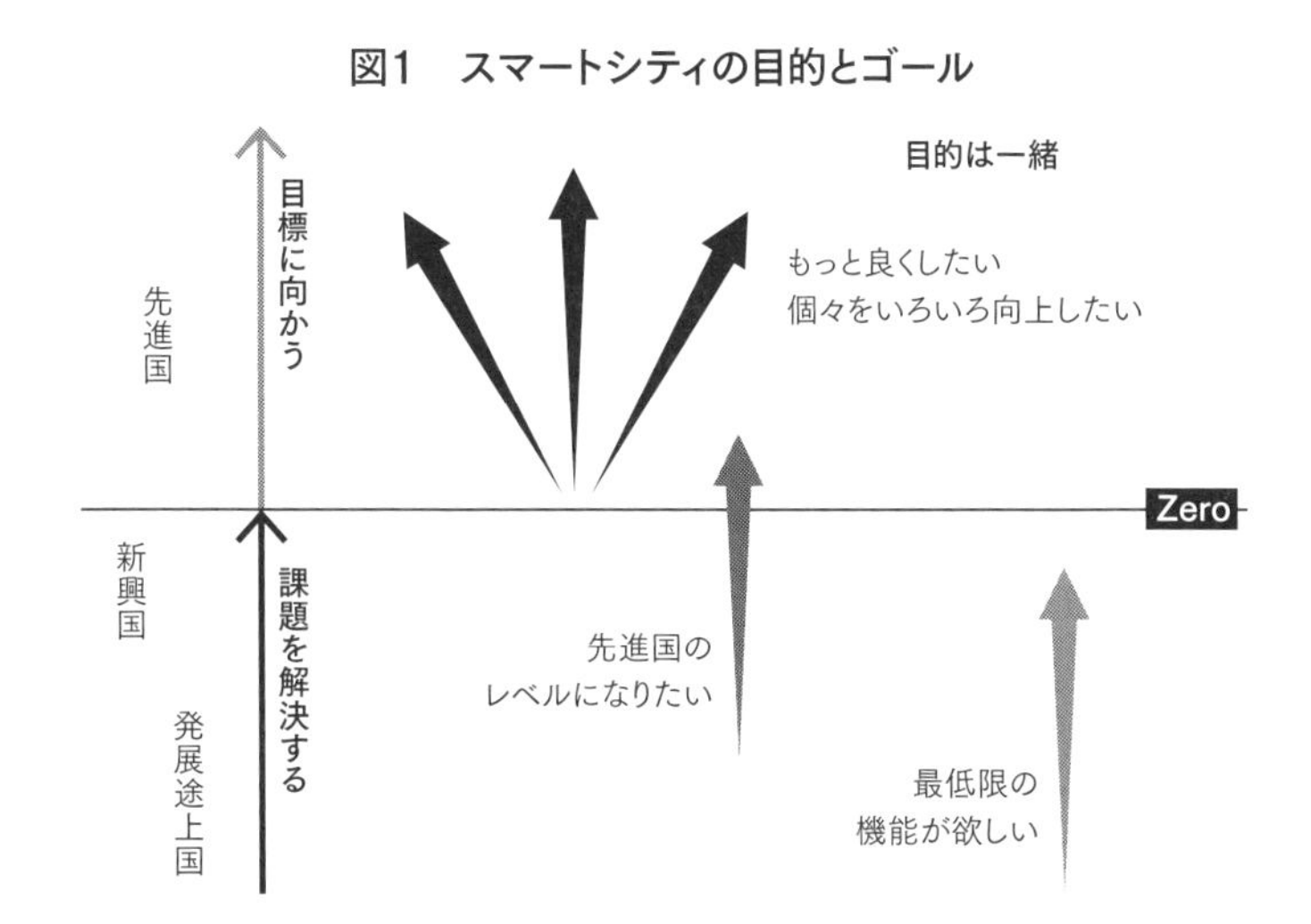

途上国の課題解決に寄与する日本のスマートシティ

上の図1のZeroという横線は、日本の様に不自由なく暮らしている先進国の状態を表している。一番下の発展途上国では最低限の暮らしを目指し、新興国では先進国レベルの暮らしが目標となる。差はあるものの、みな先進国化の方向を向いている。ところが、満ち足りた生活の先進国には根本的な課題はない。そこでより良いまちを考えると、様々な小さな最適化に向かおうとするのだ。その目標には統一性はなくバラバラな方向に向かう。

日本で「スマートシティはいろいろな定義がある」「ビジネスにならない」という人が多いが、これは国際的には既にスマートシティになっている日本の中にいるため、様々な目標を目指していることが原因なのだ。本来のスマートシティは、日本そのものの様に何不自由なく物が与えられ、銃もなく安全な管理が行き届き、人々が支えあって暮らし、様々な先端技術が使われているまちなのである。先端技術は電子やＩＴだけでなく、日本で普通に使われている土木技術や鉄道や高速道路などのインフラも含まれる。

スマートシティ世界市場競争の半分が新興国と発展途上国で起き、そこで先進国が戦っている産業であると考えると、それは同じ方向を向いたビジネスである。アジアなど多くの国が、日本を目指してスマートシティに向かっていることを、日本は今しっかりと理解すべきなのだ。

街で出会う多様なスマートシティの形

国際的なスマートシティでは多くの人々や企業が協力し、彼らが利益を得る。大規模な工場誘致から、モールもあれば、小さな村に美しい歩道橋をかけるだけのスマートシティまでである。

日本が誇る国際的なスマートシティモデルの模範になる取り組みの一つが、伝統的な日本の「駅前再開発」なのである。近年になって、公共交通の利用を前提とした都市開発のあり方を、米国では「ＴＯＤ（Transit Oriented Development）」と呼び始め、あたかも米国主導の新しい都市づくりの様に紹介されることが多い。

しかしこのＴＯＤは、まさに戦後の日本を作り上げた「駅前再開発」そのものなのである。小さな地方都市の駅でもＪＲが駅ビル化し、ハイテクエスカレーターや歩行者デッキを設置する。駅裏の飲み屋街も協力して集合レストランビルに入る。駅前には地下駐車場ができ、車は駐車料金を払う。商店街はショッピングセンターとなり、さらなる利益を狙う。駅から離れた商店街はアーケードを美しくし駅前からの導線を繋ぐ。

まちの機能向上を目指し、ビジネスが続くまちづくりが行われた。渋谷の再開発も六本木ヒルズ、阿倍野なども全く同様である。この様にして高度成長と土木工事で進んできた日本の何百と言う駅が、「より良いまち」へと変わっていった。

この世界に誇れる、それも何百という数を持つ「駅前再開発」の歴史と技術を、スマートシティとして、日本はもっと誇りを持ち、有形無形の資産として認識し、国際ビジネスを通した世界への貢献に大きく利用すべきである。

図2　茅野市と蓼科

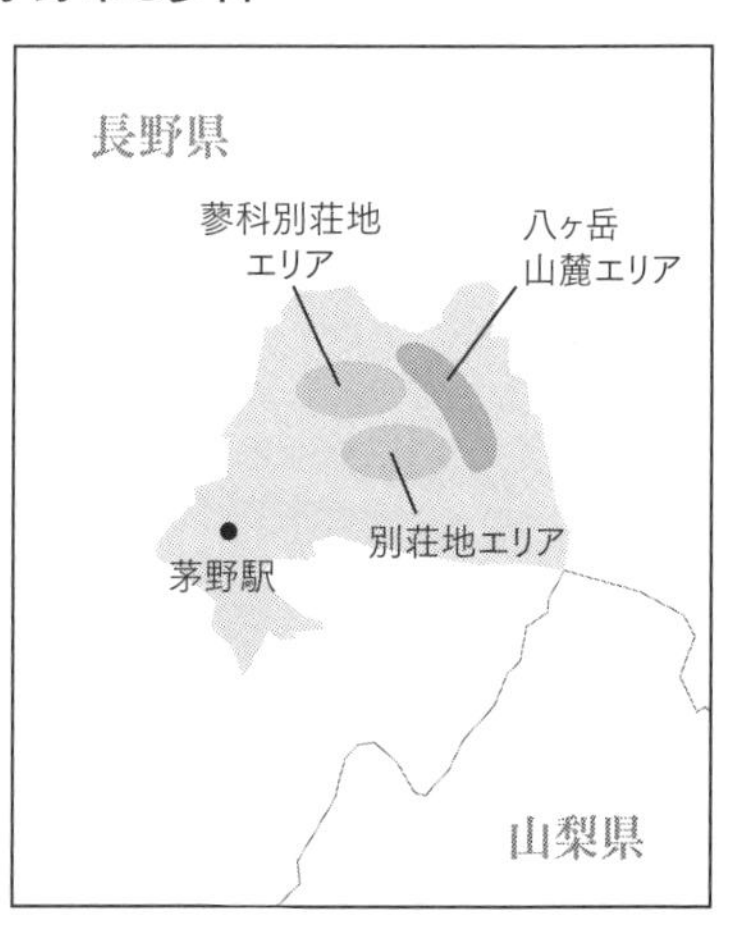

蓼科にみるリゾート型スマートシティと未来

茅野市の山麓地区にある「蓼科（たてしな）」には、東急リゾートタウン蓼科がある。茅野市は別荘一万棟、市民の家二万棟と言われる様に、市街地と別荘地が共存している土地であり、そこに、東急が四〇年かけて造ったリゾート型スマートシティである。火山の噴火口の様に、高い山で隔離された盆地を一つのまちにし、別荘、ホテル、ゴルフ場、スキー場、温泉、ハイキングコース等をその中に隔離したリゾート特別地区とも言える。

別荘地に住む人々も、ホテルでくつろぐ人々も茅野に暮らす市民であり、交通機関も使えば飲食もする。この様なリゾートタウンと地元との共存モデルは、新しいリゾート型スマートシティとして大きな可能性がある。ワーケーションの普及を考えると、リゾートで働き地方都市でも過ごし、大都市にも行くことができる新しいまちであり、国内外に広くモデル展開可能だと考えるからである。自治体とリゾート運営企業のコラボレーションに、十分に日本のノウハウが詰め込まれた勝ち組スマートシティの将来が見えてくる。

国外に多い、勝ち組「日本製スマートシティ」

国内の実証実験型スマートシティモデルとは別に、激戦地アジア地区で快進撃を続ける日本製スマートシティも多い。日本製スマートシティはその開発目的が、現地の人々の暮らしの向上であるため高い支持を受けている。双日が進めるインドネシアデルタマスシティ、マレーシアの南部のイスカンダル地区、ベトナムビンズンの、東急電鉄が造っているまち、東京メトロの様なシールド工法で多くの国に地下鉄を供給している清水建設など、日本の外に数多く存在している。

今、何をすべきか

国際的に圧倒的な支持を受ける日本製スマートシティの強みは「規律と秩序を集団で守る」ことである。ビジネスと、新技術が原点にある。日本製スマートシティとは、より良いまちをつくる日本製産業である。巨大産業となったスマートシティの中で、日本のスマートシティが求められSDGｓ視点でも期待されている。

日本には数多くのスマートシティ構築実績がある。車や電機メーカーが作る独自のスマートシティは、まちの仕組みの提供を提案し、日本の技術力と貢献を正しく伝えようとしている。本書にも多くの取り組みの事例が述べられている。

ガラパゴス化した「スマートシティ用製品」や「ハイテク技術のまちづくり」という誤解は捨て、強い日本製スマートシティビジネスで貢献すべきである。

世界中が新型コロナウイルス感染症による非常事態の中、強くより良いまちづくりで世界に貢献できる国は日本しかない。健全なビジネスが続くまちで、持続的に地域に貢献する産業スマートシティ。日本人としての誇りをもう一度胸に携え、「規律と秩序を集団で守る」日本人に大きな期待を持っている。

「スマート・ワーケーション」の場づくり～「プラットフォーム」産業の確立

合田周平

（あいだ・しゅうへい）：1932年6月台北市生まれ。現在、電気通信大学名誉教授。工学修士（カリフォルニア大学バークレイ校）。工学博士（東京大学）。イタリア・サイバネティクス研究所滞在中の71年に「エコ・テクノロジー」を提唱。82年に英国クランフィールド工科大学に「国際エコテクノロジー研究センター」を創設、建屋は本田宗一郎氏の支援。毎日出版文化賞、米国パターン認識学会賞、イタリア共和国功労勲章などを受ける。近著に、『中村天風 快楽に生きる』（2020年、幻冬舎）など。

我が国には、自然の美しさを背景とした芸術文化の香り高い地域が多い。その中でも信州の松本エリアに「スマート・ワーケーション」の日本モデルの一つを構築することを考えてみたい。先ずは、臥雲義尚市長の賛同を得たので、本書の刊行を契機に「スマート・ワーケーション構想会議」を発足する。対象とする地域で「スマート・ワーケーション」

のモデルケースを創り上げたい。

ここでいう「スマート」は、本書で岡村久和氏が述べているように、本来の住みよいとか快適とか、「ヒトにとってよい」という意味合いであり、デジタル化のみを意味するものではない。つまり、スマート＝ＩＴ化という図式ではないのだ。ヒトの心とからだの痛みを癒し、社会の欠陥を補うという意味でもある。

息づく「スマートな〈文化の香り〉」

例えば、ここで取り上げる松本市は、世界的にも際立つ音楽祭が開催されるなど、音楽によるヒトとヒトとのつながりをはじめとして、近代文明の中で失われてきた絆や共感をとり戻そうとの雰囲気が感じられる。

序章で、小林喜光氏によって提唱された、「KAITEKI」という言葉を思想的に拡張すると、そのベースに、地域の伝統思考との関係性が見出される。同様に「スマート」は、ヒトとヒトとの「絆」をベースとして成り立つ。例えば、交通移動の「スマート」、安心安全という「スマート」、さらにヒトが生きる基本として〈心身：こころとからだ〉の「スマート」など、さまざまなスマート・パワーが見出される。

図　郊外の「スマート・ワーケーション」モデルの例

作／Kumiyonoe PS

最新技術がヒトを支え、ヒトが技術革新を深める現代、技術とヒトとの間にも「スマート」な関係を築かねばならないとの重要性に気づく。

最近のコロナ禍において、都市から地方へとヒトが流動する行為の精神的態度には何があるのだろうか？　ただ単に、わが身の安心安全を求めるだけではないようである。こうした見地から「スマート・ワーケーション」を構想し、その基本としての「日本モデル」を提案し世界に示したいと考える。

このことは、地方のみではなく、都市のビル街においても「スマート・ワーケーション」のモデルとなるはずだ。5G

内在のICTネットワークで、ヒト社会を「スマート」につなぐプロセスで、新たなイノベーションをもたらすだろう。ヒトが生存可能であれば、人間味ある豊かな〈こころ〉で暮らし、「生活の情味」を味わいつつ、働くことが出来る。つまりは「スマート・ワーケーション」という環境の実現を可能とする。

このように、地方や都市において多様な「スマート」を生み出し、それらをつなぐことで「スマート」の輪が世界的規模でヒトとヒトとの輪と重なり、それをベースとして開発途上地域のまちづくりから近代的な都市にいたるまで、国際社会にヒトとヒトとの豊かな交流を実現する場を確立することが出来よう。

この筋道が、「スマート・ワーケーション」構築の基本的シナリオとなる。言い換えると、これが「プラットフォーム」という基盤なのだ。世界における、多様な地域の伝統思考を「打って一丸」として、多くのヒトたちが共鳴できる文化としての「世界の構図」づくりを目指すときである。

「プラットフォーム」形成の必要性

こうした見地から、最新技術を集結したネットワーク社会の基盤として「プラットフォーム」の整備が求められている。「プラットフォーム」には、その活性化を担う関係者（プレイヤー）が多い。したがって、そのスケールメリットが享受出来るとともに、広域なネットワークをもつが故に、連携協力も容易であるという利点がある。

従来も多くの地方創生に関するプロジェクトが試みられたが、大きな流れになっていない。その大きな原因が、地域限定という観点に囚われ、広い範囲のプラットフォーム運営者やプレイヤーの参加を想定した取り決めや運営が欠如していたことにあると考えられる。

ＧＡＦＡ（グーグル・アップル・フェイスブック・アマゾン）と呼ばれるＩＴ巨大企業は、強力な「プラットフォーム」を確立したことで、我が国のＧＤＰを凌ぐ企業価値を実現している。こうした考慮から、松本市を中心とした「スマート・ワーケーション」を構築した基盤である「プラットフォーム」を正しく確立し、これを〈システム産業〉として世界へ発信することを目指すのである。そこに、ＡＩやＩｏＴにより得られるビッグデータを導入し、プレイヤー及び「プラットフォーム」運営者の双方に、現事業の発展とともに、新規事業を展開する機会が提供されることになる。

こうして、松本エリアならではの優れた文化や伝統を活かした「新たなる産業」が生み出され、これをもとに海外を含む多くの地域との連携発展を図ることが容易となる。そのためには、地域住民は官民挙げて中央（東京）への他力本願を廃して、それぞれの首長は自らの質的向上に努め、より強力な指導力を発揮することを考えよう。

さらに地域職員は、自主教育として先進技術のリテラシーを高め、アクティブメンバーとして、地域全体に亘(わた)る活動を牽引して、我が国の文化・経済の発展に大きく貢献するという心意気をもつことである。

「スマート・ワーケーション」松本モデルの発信力

我が国の地方の多くは、文化の香りと自然豊かな山岳の特性を備え、都市圏とのアクセスにも恵まれた位置にある。このことからも、地方が国際社会における「スマート・ワーケーション」確立の優れたモデルとなり得ると考えられる。

「アフターコロナ社会」の諸問題を解決する道筋を示すためにも、今日話題の「スマート・ワーケーション」を、まずは松本市を核として展開し、これを日本モデルの一つとして、我が国のシステム産業として国の内外に発信することで、ヒト社会における「世界の構図」を大きく変えたいと考えている。

「スマート」という名の「プラットフォーム」

「スマート・ワーケーション」を構築するシナリオを「プラットフォーム」として確立することだ。この「プラットフォーム」を介して、国の内外における多様な地域と連携発展を図ることが容易となる。

例えば、松本エリアの「スマート・ワーケーション」において、訪れた関係者（プレイヤー）と「プラットフォーム」運営者の双方に、このモデルに息づく「スマートさ」を実感してもらい、他の地域でも実践したいと思ってもらうことは意義深いことである。

この成果は、コロナ後に生きる国際社会へ新たな〈文化をつくる〉、言い換えると新時代の「ヒトの生活様式」の道筋を示すものとなるだろう。先ずは、「スマート・ワーケーション」を確立することで、国際社会へのルートづくりを考えることである。

日本モデルが示す地域連携の「プラットフォーム」は、国際社会における市民レベルの連携協力という点で、近代の諸問題を乗り越える有力な政策になると確信する。

第5章

支え合う医療であるために

医療を国民の手に返す、未来志向の三つの提案

須田万勢

（すだ・ませい）：諏訪中央病院リウマチ膠原病内科医師。1983年神奈川県生まれ。2009年東京大学医学部卒業。一般のリウマチ・膠原病診療に加え、西洋医学と東洋医学を統合させた医療を行う。「統合医療チームJIN」を19年に立ち上げ、「養生ルネッサンス講座」を開講、生活に密着した養生の智慧を伝える。

医療を国民の手に返すための「未来志向の提案」とは？

現在、日本の概算医療費が四三兆円を超え、国家財政が逼迫（ひっぱく）している。一方で、高度化する医療、手厚い公的保険、一人あたりの診療時間の短縮化により、国民が医療問題を

「自分ごと」として真剣に考える機会が減っている。そこで、今後の医療の目指す方向は、「国民に医療を自分ごとと感じてもらえるよう、健康を『見える化』し、向上させ、未病の段階で止めるように取り組む」という一文にまとめられる。

フランスの著名な哲学者、サルトルが喝破したように、未来は過去に縛られず、自由にデザインすることができる。今こそ一〇年後、あるいは一〇〇年後、我々が「こうあってほしい」と思う社会を想像し、そこから逆算して現在を形作っていく時である。本稿では、このような手法で作られた三つの提案を述べる。これらは今後予想されるパンデミックに大きな効果を発揮すると期待される。

提案1：自分の、自分による、自分のための、生活記録を作ろう

近年、「平均寿命」にかわり、「健康寿命」が自治体レベルの健康状態の指標として使われている。二〇一八年の「日常生活が自立している期間」の平均は、二〇一七年に続いて男女とも長野県が全国トップであった（男性八一・〇歳、女性八四・九歳）。これらは男女とも全国平均より一歳程度長い。

長野県は医療者不足、かつ医療費負担が少ない県の一つだ。ということは、医療によらず他県より高い健康寿命を達成していることになる。医療以外とは、すなわち「生活」である。長野県の「生活」が健康寿命の長寿化に寄与している理由はかなり複合的であり、さらに人によるバラツキも大きい。これからは、個の時代である。集団ではなく、自分にとって何が合っているのかが本当に知りたいことなのだ。

では、自分に合う「生活」を知るにはどんな手法が考えられるだろうか？　それは、個の人生の膨大な記録の積み重ねによって、個に最適な行動指針を導き出せるようになることである。具体的には、家族や看護師などその人の周りにいる方々が持っているような様々なその人の情報、もちろん通院歴やカルテ、住民情報なども含めた情報である。

それらがＡＩ（人工知能）によって解析されると、時には個人が気づきもしないような状態の変化の示唆、行動の提案を返すことができる。毎日の生活のあらゆる場面が、生きた情報になりうるのだ。理想的には、産まれてから今までに至る個人の歴史が刻まれたデジタルな記録が一人ひとりに用意され、そこから必要な情報を必要な時に取り出せるとよい。

今までは健康に関する情報の保持・管理主体は医療機関であった。その主体が国民に移るという構造変化は画期的である。そして、その主権の移譲は、実は医療機関にとっても好都合である。なぜなら、診療の際に医療者が欲しい情報というのは、実に多岐にわたるからだ。それらをいちいち本人や家族に聞いたり、医療機関に問い合わせたり、その結果をカルテに書き写したりすることがどれだけ医療現場の効率性を落としているか、いわずもがなと思う。これらの情報が「OK, google, テーブルのライトを点けて」と呼びかけるのと同じくらいの簡単さで、瞬時に患者さん自身の記録から抽出・表示されたとしたら、医療者はどれだけ診療に集中できることだろう！

個人の一生涯を通じた生活記録を作る、という発想は珍しいものではない。しかしそれがどんな哲学のもとに、どう使われるべきかについての議論は未だ乏しいように感じる。

当地では地域課題に対し産官学の三者で議論を重ねた。その結果考案されたのが「デジタルナース」プロジェクトだ。「デジタルナース」により、①医療者の目が届かない時間にも最適な生活習慣を維持するための働きかけが与えられ、②自分の生活習慣や環境がもたらす影響が記録に基づいて「見える化」され、③特定の個人にとって有用な形になるように情報が解析される。

生活のすべてを、「デジタルナース」が優しく見守り、時に共感し、時に叱咤激励し、時に気づきをくれる。これらは家族と心ある医療者、保健師などが連携しながら、人間の営みのように行われる。今後予想されるパンデミックに大きな効果を発揮することは間違いない。本来あるべき「人間の目線」を意識しながら、「デジタルナース」の力を借りて温かい見守りを再現してはいかがだろうか？

提案2：データを利用して自分を深く知り、養生力を取り戻そう

このような生活情報を利用した健康管理の話が出ると、必ず反論が起こる。我々は上記のようなデータに支配され、意思と関係なく生活を管理される人生を送ることになるのではないか？　というものだ。

確かに、医療に情報技術を導入することは諸刃の剣だ。情報技術は、人間の弱い面を助けることに徹すれば、その導入は吉となろう。反対にただ利用者の管理体制をより強化すればよいという短絡的思考で設計するならば、その導入は凶となろう。医療を国民の手に返すという哲学のもと、「あくまで利用者＝人間の自己管理が主体」という軸をぶれさせないことが重要である。記録を参考にしてもらいながら、自分の中に眠る判断力を喚起するのだ。キーワードは「養生力」である。

　ここで、「養生力」を「今の自分に必要なもの／取り入れるべきもの」と「不要なもの／取り入れてはいけないもの」を見分けられる力、と定義する。養生力にはもちろん、知識や理性による判断が役立つし、必要だ。
　しかしここでは敢えて感性に注目したい。人間を含む動物には、もともと「直感」とでも呼ぶべき力が備わっている。感性で必要なものを嗅ぎ分ける能力を向上させたほうがよほど楽である。かの物理学者、アインシュタインが喝破したように、サイエンス（理性）とアート（感性）は同じコインの裏表であり、どちらが欠けても存在し得ないものなのだ。日本人の文化的遺伝子には、養生力の種がたくさん備わっている。季節を感じ、季節をさらに二十四節気に分け、節気ごとに「旬のもの」を選んでメニューにしていく食の感性。精妙なニュアンスを醸し出すことができる日本語と、「空気を読む」国民性。我々日本人には本来、養生力が備わっており、学習によりそれを喚起しさえすればよいのだ。

　ここで、提案1で述べた個人の記録の積み重ねが登場する。一つ一つの環境刺激や行動の選択は、人間になんらかの影響を与える。その影響を、生命の徴候（体温、血圧、脈拍、呼吸数、酸素飽和度、意識レベル）やその他の心身の変化（歩幅、脳波、発汗、声の大きさなど）で検知する。それらの記録が何千、何万と積み重ねられていくうちに、ＡＩによってその人だけの、特徴的な刺激――変化の関係性が抽出されていくだろう。

そうして得られた解析結果が個人の行動に返された時、自分自身の感覚とどうずれているかを確認し、修正する。AIも人も、エラーを糧にして学習し、成長する。両者の息が合って感覚がデータと合ってくれれば、養生力向上の道は開けてくるのではないか。

今回のコロナ禍では、重症者に人工呼吸装置やECMO（エクモ）と言われる体外式膜型人工肺装置が使用され、死線を何日もさまよった後に生還した人たちから、献身的な医療関係者への感謝と生還後の生きる力の喚起が語られている。コロナ禍の中で、自分と医療の見つめ直しを余儀なくされたことで、逆に未来志向の医療への方向転換を図る原動力が生まれている。

提案3：養生教育を義務化し、「自分ごと」のヘルスリテラシーを育てよう

提案1、2が受容される世の中になるには、養生による健康維持の重要性を意識付けることが不可欠である。特に若者は自分の健康よりも優先順位が高いものが多く、養生に対する意識が希薄である。しかし本来、養生力は若い時から向上させたほうが圧倒的に楽で

ある。

養生力には、感性の向上と、理性・知識の向上の両方の要素が必要である。「三つ子の魂百まで」と言われるように、幼少期の教育が重要なことは論を俟たないだろう。養生教育の資源は、養生力を以てたくましく生き、時代を担わねばならぬ、次世代に対して注がれるべきだ。そこで、養生教育を義務教育に入れることを提案したい。

幸せに生きるために、「どう心身を健やかに生きるか」という教科は、今さかんに言われている「生きる力」の教育の根本を成すものではないかと考える。どんな状況の時に心身にどんなケアをしたらいいかを知る。こうして自己管理力・防衛力を高めることが、with/afterコロナ時代の新しい義務教育のあり方と考える。

もう一つ、教育上重要な内容は、一人ひとりがどんな健康行動をとるかが、全体としての医療費に影響を与えるということだ。“One for all, all for one.”という言葉がある。我々は日本という国の予算をシェアして生きている。医療費を使わなければ生活できない方々に限られた予算をしっかり配分させるために、行動次第で健康になれる人たちは国の予算をなるべく使わないように努力するべきである。残念ながら、このことは大人になってから伝えられてもなかなか身にしみて感じる方が少ない。当たり前だけれど大切なことを、義務教育のうちに子どもたちに「自分ごと」として感じてもらいたい。

「生きがい寿命」一〇〇歳の日本で、「ピンピンひらり」を世界に示そう

医師が最も気力をくじかれる瞬間は、命を助けた患者さんに、「生きていてもしょうがない、早く死にたい」と泣かれる時である。その悲痛な思いを前に医師ができることは、ただ傾聴し辛さを分かち合うのみである。この問題に向き合った一人の医師がいる。当院名誉院長の鎌田實である。ベストセラーとなった『がんばらない』（集英社文庫、二〇〇三年）という彼の著書にも描かれている、「医療者ががんばるから、あなたはあるがままでいいんだよ」、という温かいメッセージは、多くの終末期患者さんの心を支えた。しかし、時代が移り、平均寿命が年々長くなる中で、「高齢者の生きがい問題」は「がんばらない」だけでは対応できなくなっている。

では、なぜ生きがいがなくなるのか。自分の身体の衰えにより日々の生活やコミュニケーションが制限されていくことに心が耐えきれないのだ。分析から、老化により著しい心身機能の障害が起き、かつ自分の生活の中である程度老化のコントロールが可能なものは、

脳・循環器（心臓、血管）・筋骨格・五感・歯科口腔の五領域に集約されることが見えてきた。

この五領域の老化を一〇年遅らせることができれば、他の原因（がんや内臓の病気）で寿命が尽きる直前まで、心身の自立を保つことができる。生きがいを保ち続ける年齢＝「生きがい寿命」を一〇〇歳にすることが可能になる。茅野市と諏訪中央病院では、これらの五領域をターゲットとした産官学連携のプログラムを開始しようとしている。

諏訪中央病院は鎌田医師が院長だった時代に、佐久総合病院とともに地域ぐるみの予防医療のさきがけとなった歴史を持つ。例えば、減塩運動一つとっても、外来で「塩を摂るな」と言うだけではない。医療者が地域に出て、塩を摂りすぎた人が脳卒中で倒れる、という内容の手作り演劇を公民館で演じ、その後は飲み会で住民と膝を交えて語り合った。

さらに「お風呂に入れちゃう運動」と名付けられた、病院からの出張入浴サービスが現在のデイケアのモデルになるなど、日本の地域福祉の向上に大きな貢献をした。これらの行動の背景にある「地域医療」の哲学は、次の通りである。

「地域にある課題が、医療者が考える『医療』の枠をたとえはみ出していたとしても、相互に結ばれた各分野のエキスパートたちと住民により、『鳥の目』で解決されなければならない」

その哲学は現在にも引き継がれている。茅野市では今井敦市長のもと、スマートシティプロジェクトとして、今までは一堂に会することがなかったような各分野の代表が意見交換を進めている。そこに諏訪中央病院も協力し、時代の先を読んだ医療の変革を少しずつ試みている。それらの変革の中で、本稿で述べたような提案が検討され始めた。医療機関が孤立せず、産官学と住民との連携の中でヘルスケアのリーダーシップを取れる活力ある社会の構築が、住民の健康を向上させ、疾病を未病に止め、パンデミックに効果的に対応し、医療費の増大も抑えられる、国民主体の活動として期待される。

鎌田医師は、最近は「ピンピンコロリ」ならぬ「ピンピンひらり」を提唱している。ひらり、と身を翻すかのように鮮やかにあの世にいくというイメージだ。本稿の提案を駆使し、一〇〇歳まで生きがいにあふれ、ピンピンひらりする心身を作ろうではないか！ それこそが日本人が世界に発信するべき強力なメッセージであると宣言し、本稿の締めの言葉とさせていただく。

動物のコロナウイルス疾患とCOVID-19
～統合医療への期待

安川明男

（やすかわ・あきお）：1978年日本獣医畜産大学（現日本獣医生命科学大学）獣医畜産学部獣医学科卒業。81年同大学大学院獣医学研究科修士課程修了。83年西荻動物病院開業。97年上石神井動物病院併設。2008年東京医科歯科大学大学院医歯学総合研究科博士課程修了。20年ライフメイト動物病院グループ・アドバイザー。

香港やベルギーでペットの小型犬などに、ニューヨークの動物園でライオンやトラに、その他に日本国内でも二〇二〇年八月三日に飼い主がPCR陽性の二頭の犬にPCR陽性例が認められた。これに加えてスペイン、オランダ、米国、デンマーク、ギリシャでミンク飼育場の職員とミンクに感染がみられ、各国で数百万から二〇〇〇万頭近い数のミンクが殺処分され、人々に驚きと悲しみのニュースが伝えられた。経済的影響も甚大だったという。一方でパンデミックを動物たちとともに統合的に乗り越えることによって、禍転じて福となすことができるはずだ。

動物での研究報告と臨床例

東京大学医科学研究所の河岡義裕教授（獣医師）が、SARS-CoV-2はネコからネコへと感染するとの論文を英国の専門誌に投稿した。

しかし、本来、新型コロナウイルス感染症は種特異性が強く、種を超えて感染することはまずないだろうと言われてきた。デンマークでミンクとヒトに同じ遺伝子の新型コロナウイルス感染があったというニュースに接した時、獣医師として非常に驚いたが、冷静にその記事を読むと、ミンクとヒトが同じ遺伝子を有するコロナウイルスに感染したことは分かった。

しかし、その感染経路がミンク→ヒトと確認されたという記載ではなかった。ヒト→ミンクへの感染経路を考察した論文等を待っているが、既に多くのミンクが犠牲になってしまった。

ネコには心筋症という病気がある。この病気により、腹部大動脈から左右の後肢の大腿動脈に分岐する部分に血栓が飛び、後肢への血流低下から遮断されるに至る場合がある。この病気では、血栓溶解剤や、血液の凝固を抑制する薬を投与して治療を実施するが、重症化すると血栓を摘出する手術や後肢の切断手術を実施しなくてはならない場合もある。

しかし、こうした心筋症に罹患していなくても、血栓症を起こす例がある。私の少ない経験でも数例あったが、その殆どの例でコロナウイルス抗体が陽性だった。勿論、心筋症による発症例にもコロナウイルス抗体の陽性例も少ないとは言えない数があった。

以上の症例経験から、私はＦＩＰ（猫伝染性腹膜炎）の症状とSARS-CoV-2の感染で発現するヒトの多様な症状は極めて類似していると考えている。猫伝染性腹膜炎とは猫腸コロナウイルスの変異型の猫伝染性腹膜炎ウイルスを原因とする猫の病気で、ヒトには伝染しないが、猫伝染性腹膜炎と同属の猫腸コロナウイルスには、多頭飼育の猫の八〇パーセントに感染歴があると言われている。

海外からの情報と国内での対応

抗ウイルス薬、レムデシビルの基になるGS-441524の投与により、八〇パーセント以上の自然感染の猫伝染性腹膜炎の罹患猫を治療したという論文がある。しかし日本でも、GS-441524は動物用医薬品として承認されておらず、承認申請をする動物用医薬品企業も名乗り出ていない。あくまでも、少数の獣医師の個人輸入に頼っている状況であるが、適用されれば猫にとって大きな福音になる可能性がある。

私が、石川県の知人医師から最初に治療情報を得たのは二〇二〇年二月初旬であったが、ヨーロッパから帰国した三人のCOVID-19患者にアビガンの投与を対症療法と併せて実施したところ、極めて高い改善効果があったという電話による口頭での解説であった。

その一ヵ月後には、神奈川県の足柄上病院が、クルーズ船からの肺炎患者（この当時は、武漢肺炎、中華肺炎等と呼ばれていた）に気管支喘息の治療薬であるシクレソニド（吸入用ステロイド剤）の吸入を併用して、人工呼吸や集中治療を要する重症患者三人を、二〜三日で救命し得て回復させることができたというニュースに接した。

藤田医科大学での治験や、感染症学会を窓口にした観察研究のデータに後押しされ、富士フイルム富山化学がアビガンの承認申請（二〇二〇年一〇月）をした。しかし四ヵ月以上経過しても継続審議となり承認されていない。

一方、レムデシビルは、米国で承認されたわずか三日後に、日本でも特例的に承認され、重症患者用として適用されるようになった。アビガンと同様の副作用があると言われ、分子量の大きい製剤の長期投与による副作用も懸念されると考えられていた。

二〇二〇年一一月中旬になるとＷＨＯが突然、レムデシビルにCOVID-19に対する有効性を認めなかったと発表し、さらに治療に適用することを推奨しないと続けて発表した。私は有効性より安全性に問題があるか、または重症例ばかりへの投与で、病状が改善される例が少なかったか、またはなかったのかと考えた。その後、レムデシビルに次いで二番目にデキサメタゾンが承認された。さらに、東京大学医科学研究所の井上純一郎教授らのグループが急性膵炎の薬とアビガンを併用して改善した例を発表している。

トランプ大統領と抗マラリア薬、そしてＷＨＯの対応

米国のトランプ前大統領が、新型コロナウイルス感染症の予防に、マラリアの薬を服用していたと噂が流れたことがあった。これらの抗マラリア薬にも、有効性が期待され、日本でも臨床例に適用した報告が散見されたが、米国のＦＤＡ（米国食品医薬品局）は強い副作用を懸念して、COVID-19の治療への使用許可を取り消した。

抗ウイルス効果のある薬物とその投与時期

私たち獣医師は、猫伝染性腹膜炎の患猫に投与できる抗ウイルス薬があれば、できるだけ早期に投与しようと努力するだろう。しかし、人間の新型コロナウイルス感染症での抗ウイルス薬の投与は、できるだけ早期とは考えていないような印象を受けている。動物への薬剤投与は、人間にとっても参考になるはずである。

二〇二〇年八月、ポビドンヨードうがい薬が口腔内のSARS-CoV-2を減少させると、大阪府知事が発表したが、直後からこれに対する多くの反論、異論が持ち上がった。ポビドンヨードうがい薬には、エタノールが含まれているし、その他サルチル酸やアロマ精油なども含まれている。

効能書やメーカーの解説を読むと、有効性を示すウイルス群の中に、コロナウイルス（新型コロナウイルスではない）、ＳＡＲＳウイルスなどの記載がある。勿論、研究室内での試験研究効果だろうが、おそらく臨床研究を実施した大阪のはびきの医療センターもこのデータから、うがい薬の効果に期待したのだろうと思う。

例えばＰＣＲ検査等の直前に、このうがい薬でうがいをしてしまえば意味はない。しかし「有効性は今後確認していかなければならないが、病院、医院で診察を受ける前にこの薬でうがいをしておけば、医師や看護師への感染防護対策にもなる可能性がある」と数人の大学医学部の教員からの意見があった。しかし薬局、薬店から、イソジンうがい薬®が品薄になったり、在庫がなくなったりするなどの現象が起き、ネットやガレージセール等で高額で販売されていたのは残念なことであった。

ワクチン開発の問題点

コロナウイルスの感染を防ぐには、ＡＤＥ（抗体依存性感染増強）を起こさない抗体を産生するワクチンを造る必要がある。従って、単純にウイルスタンパクに抗体を産生させる従来の方法では、産生される抗体の統制がとれず、ＡＤＥが発現する可能性が高まると考えられる。

それには、血液中に存在する抗体が結合しないウイルスのタンパク質、つまりウイルスの表面でなく、ウイルス内部のタンパク質に対する抗体を産生し、抗体によるウイルスの殺滅ではなく、Ｔ-細胞性の免疫担当細胞がウイルスを処理する細胞性免疫を用いる手法でワクチンを生成しなければ、常にＡＤＥが発現する危険性が考えられる。

SARS-CoV-2は、上皮細胞とマクロファージ（免疫担当細胞のひとつ）に感染するウイルスだ。

このマクロファージに感染するウイルスに対しては、細胞性免疫が完全には機能できず、ウイルスが体外に排出され難い為、ウイルスと免疫との攻防が長期化する。そうすると液性免疫が動き出し抗体が産生され、さらにマクロファージにウイルスが感染した結果、ADEを起こす。

ADEを起こすウイルスには、デング熱ウイルス、ジカ熱ウイルス、エボラ出血熱ウイルスなどがあるが、猫伝染性腹膜炎ウイルス（FIPV）もそのひとつである。これらのウイルス群に対する抗体を保存しているヒトや動物が、変異したウイルスに感染するとADEを起こす確率が高くなる。

統合医療への期待

多様な臨床現場の治療アイデアを、「論文至上主義（根拠に基づく医療）」の観点から闇雲に否定していけば、早期の新しい画期的な治療対策を見逃すことにも成り兼ねない。医療は近現代医学と伝統医学、民間医療を統合し、さらにヒトの医療現場も動物の医療をも統合して考察し、実施していかなければならないはずである。こうして、有効な治療対策が発見される可能性がある。また植物等の自然の産物には、沢山の素晴らしい可能性があると考えられ、様々な医薬品がその中からも生まれている。

COVID-19とＦＩＰ（猫伝染性腹膜炎）は動物種こそ違うが、病原だけでなく、病態や治療方法が類似していると思われる。私はこの一年近くの間、毎日その点について何度も考えてきた。意見を求められれば必ず猫伝染性腹膜炎の話を題材にしてCOVID-19と比較し、次のようにお話ししてきた。

ＦＩＰＶはコロナウイルス科のα属に分類され、SARS-CoV-2はβ属に分類される。同じα属に分類されるネコ腸コロナウイルス、イヌコロナウイルス、豚伝染性胃腸炎ウイルスはネコに感染するし、β属のウシコロナウイルスとイヌ呼吸器コロナウイルスの遺伝子は酷似していて、ウシコロナウイルスがイヌに感染することもある。つまり、同属のコロナウイルスが感染する動物種には感染する可能性がある。人間に風邪症状を起こすコロナウイルスにはα属の229EとNL63、ならびにβ属のHKU1とOC43という両属の4種のウイルスがある。しかしＦＩＰＶが発見されてから数十年間、ＦＩＰＶが人間に感染した例は全く認められていない。

こうした観点から、統合医療に対する期待と今後の進め方などに多くの関心が寄せられている。コロナ禍を「禍転じて福と成す」機会とすることは、本書の趣旨にも合致すると思う。

コロナ禍を生きる

鈴木信孝

（すずき・のぶたか）：医学博士。1981年防衛医科大学校卒業後、金沢大学産婦人科教室に入局。2001年から日本補完代替医療学会理事長。04年から21年まで臨床研究開発補完代替医療学講座特任教授。日本感染症学会会員、虹の会理事。補完代替医療分野のなかでも特に、各種機能性食品・植物性医薬品の臨床研究が専門。

「薬がない」の大合唱

私は産科婦人科医師で、補完代替医療学を専攻している。今回のコロナ禍では、政府のみならず、マスコミ各社は「薬がない、薬がない」の大合唱であった。しかし、薬がないのは当たり前であり、だからこそ、「新型コロナウイルス感染症」と呼ばれているわけである。それをわざわざ薬がないと強調することは、国民を絶望に追いやり、委縮させ、不安がらせるだけであり、百害あって一利なしだ。

嘆かわしいことに、これは我が国に限ったことではなく、WHOをはじめ、全世界共通の合言葉のようにもなっている。コロナ禍を機に、この誤解を解き、アフターコロナ時代の医療のあり方と今後のパンデミックに強い社会の構築法を提示する。

西洋医学と補完代替医療

私が専門としている補完代替医療とは、現代西洋医学を補完もしくは代替する医学であり、西洋医学を基盤としたものである。すなわち、現代西洋医学で治療困難な病気を、他のあらゆる医学を駆使して治療することを目指した学問である。

実は、世界には中医学、ロシア医学、インドのアーユルヴェーダ医学、中近東のユナニ医学、ドイツのハーブ医学等、様々な医学が存在する。我が国の医師はあまり認識していないが、欧米からみると日本医学はとても奇異な医学に映っている。例えば漢方薬が保険薬として通常医療で使われているのを知るとまず間違いなく驚愕する。米国では、西海岸に中国移民が生薬を導入、利用してきた歴史があり、現在でも生薬の多くはハーブやサプリメントとしてふつうに流通している。なかには我々から見ると、薬として使用すべきものが食品として使われている場合もあり、注意が必要である。

私は、これまで、がんや認知症をはじめ、様々な難病に対する補完代替医療を基礎・臨床医学的に研究してきたので、前述の「薬がない」という報道を聞いてかなり違和感を持っている。というのは、どんなに難しい病気にも必ず治療法の突破口が存在することをこれまで何度も経験してきたからである。世間で言っている「薬がない」というのは、あくまで一般病院で使える保険薬がないのであって、この世に本当にないわけではない。西洋医薬がなければ、東洋医薬である漢方薬や中医薬がある、ヨーロッパのハーブ薬もある、また、機能性食品もある。つまり、薬がないのではなく、勇気と情熱を持って新型コロナの治療法を探そうという医師本来の役目をほんの少し見失っているのだと思う。

「治療ガイドライン」依存から「有事」の医療へ

私が医師になりたての頃は、他のどの医師が治せなくても「私だけは治してみせる」という気概を持って大学で診療・研究していた先生方が多かったように思う。ところが、最近は「治療のガイドライン」というのが登場して、どこの病院に行ってもほぼ均一な治療のみが施され、若い医師達はガイドライン以外のことに果敢に挑戦する気持ちが削がれてしまったように感じる。

過激な言い方ではあるが、私はガイドラインに沿った診療はできて当たり前であると考えている。とくに、若い医師は、ガイドラインに載るほどの新治療法を見つけてやろうという意気込みを持ってほしいと願っている。さらに、最も残念だったのは、新型コロナの嵐が日本を襲った際、基礎となる治療法を最前線で見つけていくべき医学部が、感染防御のため病院業務以外、研究活動の自主休業を勧告してしまったことである。これは、「敵前逃亡」と言われてもおかしくないことである。医学部が病気研究の歩みを一時でも止めたら、いったい誰が新治療法を発見するのであろうか。

ＰＣＲ検査も流行初期にはなかなか対応できなかったわけであるが、実は、医学部の各教室にはＰＣＲ検査用の最先端装置はそれこそ数えきれないくらい揃っている。また、この装置は農学部などにも沢山ある。とくにウイルス学を専攻している教室では、専門の教官もいて、日々様々なウイルスの遺伝子解析を行っているのである。したがって、政府が緊急処置として各大学や研究所に予算をつけ、協力を請えば、いくらでもＰＣＲ検査への協力はできたと思う。国家は非常事態に陥ったわけであるから、これは当然やるべきことだったと思う。

私の出身大学は防衛医科大学校であり、いわゆる有事の医学を大なり小なり学んで育った。したがって、今の私は、新型コロナウイルス感染症に対しては「平時の医学」ではなく、「有事の医学」としてとらえているし、また、そういう観点で対応策を模索している。「我々がやらなきゃ誰がやるんだ」くらいの意気込みを持って、研究を行っている。

有事の医学は皆さんご存じの通り、銃弾が飛び交うなかでの医学であり、それなりの訓練を受けていないと、現場で医師もパニックに陥る危険性がある。今回のコロナ禍をウイルス戦争にたとえる方もいるが、戦時下であるという緊張感を持って、各先生方の知恵を合わせれば、必ず道は開かれると信じている。

医者が病気を怖がったらおしまい

二〇二〇年度、東京近郊で発熱患者が一〜二時間たらい回しになったのをみて、私は国民に対して大変申し訳なく思った。確かに感染防御体制が十分でない病院では患者の受け入れが難しかったことはよく理解できる。しかし、だからといって、患者をたらい回しにした事実は、国民に深い悲しみと不安感を与えたに違いない。隔離された発熱外来診療所を早く設置すべきであるという意見は多く出されていたが、結局うやむやになってしまったのも、誠に残念である。診療場所は各地の公民館を解放すれば済む話ではないかと思う。各地に非常に立派な公民館が沢山あり、こういう時こそ公共の目的に使えばよいと思う。

また、どうして、武漢での対応を謙虚に検証し、我が国でもすぐに取り入れようとしなかったのであろう。言葉は悪いが、「一億平和ボケ」の感はまぬがれないと思う。有事に限らず、大災害時、医師は「重症者と軽症患者は診（み）ない」のが原則である。中等症の患者、例えば血管を損傷し、今、一針縫合すれば助かるという患者を最優先として救う、これが有事の医学である。

これまで多くの医師と話をしてきたが、ほとんどの医師は新型コロナに恐怖感を抱いていた。理由はやはり、無症状もしくは軽症であっても半数近くがＣＴで肺炎像を呈しているのを知っているからだと思われる。

一部では、新型コロナは基本的に風邪だと解説されているが、我々専門家集団はそうは考えていない。明らかに、通常の風邪とは異なっているのである。常識的には、ウイルス性肺炎は症状が長引き、悪化して初めて肺炎像を呈するが、今回の新型コロナはそうではない。それでは、この新型コロナの補完代替医療を組み立てていく際にどのような考えとアプローチ法を持てばよいのであろうか。

ターゲットは上気道と肺

新型コロナの第一感染部位は上気道〜肺である。したがって、ここに直接作用するものを探し出すことが最も重要である。口内、鼻腔、喉頭をはじめとする上気道や肺には、例えば経口投与ではよほど血中濃度が高まらなければ効果を期待するのは難しい。やはり、有効成分の空間噴霧もしくは医師の監督下での吸入に勝るものはないであろう。また、理想を言えば注射剤を開発できればよいが、これには時間がかかるので、吸入剤の開発が優先されると考えている。

次に、今回の新型コロナウイルスは、腸管に感染することが一五〜二〇％近くあるのを忘れてはならない。多くは腹痛や下痢を主訴とすることが多いが、腸感染に対しては、逆に吸入は無効であり、経口投与が有効であろう。もう一つは、血管内皮細胞への感染である。これには、経口投与より注射剤に軍配が上がる。また、まれに脳・脊髄感染を起こすので、脳に容易に移行できる化合物の経口投与もしくは注射剤も必要となる。さらに、嗅覚味覚障害などの後遺症に対する医学的アプローチも急がれる。これら神経系の後遺症に対して我々は現在ジャワしょうがの応用を試みている。ジャワしょうがは、神経突起を伸長させる働きがあり、期待できる天然物であろう。

さらに、我々は上気道~肺には揮発性の天然物もしくは新型コロナに有効と思われる化合物の有人空間噴霧を考案した。実は抗ウイルス作用を有する天然物は、皆さんが想像する以上に多くある。しかもここ一年ほどで、分子ドッキング法など創薬の先端技術を用い、新型コロナの突起であるスパイクタンパクや内部のタンパク分解酵素のみならず、感染を受ける細胞（宿主細胞という）の受容体に強固に結合し、感染そのものをブロックする天然化合物が数多く見つかっている。

中でも我々が注目したのは、植物の種子中の化合物である。植物の種子は、土中の細菌、カビ、ウイルスをはねのけ、翌年まで平然と過ごし、発芽するが、これは種子が有する強力な抗菌・抗カビ・抗ウイルス作用によることが明らかになりつつある。

新型コロナは被膜（エンベロープ）を有するＲＮＡウイルスであるので、同じような構造を有するインフルエンザウイルスに効果のある天然物に的を絞って、空間噴霧できるものを選び出す。ただ、あまりに供給量が少ないものは実践的ではない。また、証拠（エビデンス）が少ないものも採用できない。かつ、食経験など安全性にすぐれたものであることが必須条件となる。

このようなスクリーニングをかけて、見出したものは四つある。まず、第一の候補はグレープフルーツ種子エキス（以下、ＧＳＥ）の有人空間噴霧である。詳細は私が書いた著書『～わたしはこう考える～新型コロナの補完代替医療』を読んでいただきたいと思うが、ＧＳＥは、すでに歯科領域では以前から使われていた実績があり、口内噴霧で歯周病や口内カンジダ症（カビ）の治療にも応用されていたので、安全性も高い。

さらに最近、培養細胞での実験で新型コロナにも有効であるとはっきりしてきたので、エビデンスが最も揃っている天然化合物の一つである。現在、二つの学会が共同で、ＧＳＥの観察研究を始めている。ＧＳＥは、机、ドアノブ、マスクをはじめ、あらゆるものに噴霧が可能であり、アルコールと異なって、抗ウイルス作用が持続することも特徴である。

また、食事会の後などには口内に噴霧することもでき、予防にも使える可能性がある。水で三倍希釈して超音波式の噴霧器で噴霧すれば、上気道から肺の新型コロナウイルスの量を減らすことが期待でき、肺炎の重症化阻止にもつながると考えられる。

第二の候補は、お茶のエピガロカテキンガレート（以下、ＥＧＣＧ）の有人空間噴霧である。エピガロカテキンをモノエステル化したものが、大学研究者によりすでに発明、実用化されており、通常のＥＧＣＧの四〇倍程度の抗ウイルス作用（抗インフルエンザ作用）があるとされている。

分子ドッキング法ではＥＧＣＧは新型コロナウイルスの多くの箇所に強力結合し、これを阻害することも予想されている。ただ、新型コロナの培養実験での証明はできていないので、エビデンスのランクはＧＳＥに劣るが、ＧＳＥとは作用点が異なっているので、両者の併用も大いに期待できる。

さて新型コロナに対し、もっと手軽にできる吸入法も検討されている。例えば、第三の候補として、生ニンニクのすりおろしたものを吸入する方法である。ニンニクはすりおろすとアリシンという揮発物質に変化する。まさに、二〇二〇年に流行した「倍返し」というより、「一〇〇倍返し」くらいの抗菌・抗ウイルス物質に変貌する。

もともと野生動物はニンニクを食べることはできない。人間だけがニンニクを食用として利用できると言っても過言ではない。また、細菌やウイルスにとっては、ニンニクのアリシンは猛毒なのである。しかし、ニンニクは、かじられたり、傷つけられたりさえしなければ、自然と調和した植物である。

また、我々は第四の候補としてワサビにも着目している。有用成分はアリルイソチオシアネートである。ワサビの抗菌力については以前から知られているので、新型コロナに対する結合力と細胞培養実験の結果が揃えば、有望な天然物素材となり得る。

なお、腸の新型コロナ感染には意外にも梅干しが効力を有している可能性も浮上しており、いわゆる「日本食」の有用性についても、前述の書籍には記載してある。私がこの本を出版したのは、混迷するコロナ禍の社会にあって、少しでも多くの方に「勇気と希望」を与えるためである。

日常生活に容易に取り入れられる抗ウイルス性の食品や添加物を活用することにより、今後も予想されるパンデミックに強い社会に転換することが、効果的な政策であり、生活態度である。我が国が、一刻も早くコロナ禍から復興できるように今後も全力を尽くすつもりである。

私は、近日中に医師、歯科医師、獣医師、大学研究者からなる研究会を立ち上げ、さらなる情報収集を試みるつもりである。新型コロナウイルス感染症は、ヒトにおいては全科にわたる疾患であり、かつ新型コロナは種を超えて様々な問題を引き起こしている。したがって、それぞれの専門領域を超え、多くの医師や研究者の参加をお願いしたいと思う。

そしてコロナ禍：都会（Urban）と地方（Rural）の制御システム

田島和雄

（たじま・かずお）：洗心福祉会　美杉クリニック院長。三重大学客員教授。1972年大阪大学医学部卒。79年愛知県がんセンター研究所疫学・予防部研究員。90年同疫学・予防部長。2006年同所長。専門はがんの疫学・予防研究、特に生活習慣とがん、ヒト白血病ウイルスの考古疫学。現在、中国成都大学名誉教授なども務める。

この一〇〇年間に世界人口は激増し、人口密度の高い巨大都市が増え、国際交流による感染者への接触機会も増え、新興感染症の国際的流行から免れ得ない時代となった。本稿では新型コロナウイルス感染症の流行禍に関して、世界の都市化と過疎化の両面から一疫学研究者として考察してみたい。また、今後のパンデミックに有効に備える方策を提案する。

コロナ禍対応の迷走

（1）中国と世界保健機関（WHO）の対応

中国湖北省で新型コロナウイルス感染症の初の感染者が出現したのは二〇一九年一一月一七日とされているが、実際に中国側からWHOに報告されたのは一二月三一日と報じられている。中国では年が明けて武漢市の閉鎖、海外渡航禁止、春節延期などかつてなかった独自の国内の流行予防対策を他国に先駆けて講じてきた。

一方、WHOは新型コロナウイルス流行に対する緊急事態宣言を二〇二〇年一月三一日に出し、二月一一日に新型コロナウイルス感染症の名称を「COVID-19」と決定した。WHOの立場を考えると科学的根拠を明らかにして世界に報道すべきであるが、現在の科学の発展を鑑みるに、中国で進められてきた新型コロナウイルス対策をWHOとして国際的に早く奨励すべきであった。WHOによる新型コロナウイルスの国際的流行への予防対策の遅れは否めない。

(2) 日本のクルーズ船での対応

二〇二〇年二月にダイヤモンド・プリンセス号の船員、乗客乗員の四〇〇〇名弱が新型コロナウイルスの感染リスクに晒された時の対応にはやや疑問も残る。船内にはすでに発病している有症状者、感染している可能性のある無症状者、未感染者が混在しており、感染しているかの判別方法はＰＣＲ検査に限られていた。病態が明らかではなかった当時としては、ウイルス感染の可能性のある有症状者への対応は精一杯になされていた。

しかし、感染している可能性のある無症状者と未感染者を判別することが不可能なため、両者は潜伏期間中の合理的な経過観察が必要であった。しかし、不十分な隔離対策によって乗員と乗客の経過観察を実施してきたため、結果的に感染者を短期間に拡大させた。なぜ早急に船外の緊急避難場所や利用可能な宿泊施設を確保し、未感染者の感染リスクを低減できなかったのか、一考すべき不備な対策と考える。

(3) 診断・治療対応

新型コロナウイルスの場合には特異的なウイルス遺伝子をＰＣＲ検査により同定しており、ＰＣＲ検査の設備のない一般の病院や診療所では検査できない。臨床的に新型コロナウイルス感染が疑われる発熱や咳などの有症状者に対しては所属保健所を介してＰＣＲ検査を依頼している。一方、ＰＣＲ検査の特異度は高いが、感度は六〜七割程度と言われており、特に、感染初期のウイルス量の産生が少ない場合には偽陰性となり、感染者を見逃してしまう。

しかし、現在はＰＣＲ検査に依存せざるを得ない。また、新型コロナウイルスの早期診断による感染予防対策を担保するには、感染が疑われる有症状者のみならず、感染リスクに晒された者に対して速やかに検査を行う必要がある。新型コロナウイルス患者の治療はさらに複雑であり、無症状者、軽症者、さらに重症者を層別化して合理的医療体制により治療すべきである。特に、重症者は人工心肺装置などを有する限られた病院でしか対応できないが、無症状者や軽傷者の多くは一般の風邪と同様に経過観察で対応できるので、感染リスクを考慮した隔離施設を確保する必要がある。

有効な一次予防対策

(1) マスクの適切な着用

一般のインフルエンザウイルスと同様にマスクの着用は、ウイルス感染者の咳やくしゃみによる飛沫でのウイルス拡散を防ぐには効果的である。感染者のマスク着用は非感染者にウイルスを拡散させないために必須である。ウイルス感染から発症までの無症状期（潜伏期）における感染リスクを考慮すると、日頃からのマスク着用を習慣づけるべきである。

一方、一般のマスクではナノ単位のウイルス粒子をブロックすることは難しいので、限界がある。個々人のウイルス感染予防を図るため、さらなるマスクの改良が急がれる。

（2）手洗い習慣の徹底

頻回の手洗い習慣はあらゆる感染症に対する予防方法の基本行動であり、特殊な消毒液に頼らなくとも、一定基準の手洗いにより感染予防効果は十分に期待できる。日本は自然環境に恵まれ水が豊富で、最近は小児も成人も日常における手洗い習慣が身についてきた。徹底した手洗い習慣はマスクの着用と共に、新型コロナウイルス流行予防対策の産物として、一般国民の衛生意識が向上してきたこととして高く評価する。

（3）生活習慣の是正

あらゆる感染症の感染予防、さらに重症化予防を図るためには自然免疫力を維持しておく必要がある。私はがん流行の予防研究を長年実施してきて、基本的にはがん予防と感染症予防は同列に考えている。私自身も自然免疫力を高めるため、①走歩による習慣的な下肢の筋肉運動、②ミネラル・ビタミン類など抗酸化物質を多く含む食品摂取など栄養バランスを配慮した食生活、③ストレス回避のための適度な睡眠（早寝早起き）と趣味（吟詠長嘯）の活用、などに努めている。新型コロナウイルス感染後の重症化、つまり血管炎や肺炎も自然免疫力が低下していると起こりやすいと考えられており、誰でも可能な日常生活改善による自然免疫力向上に留意すべきと考える。

流行を加速させる環境の諸問題

(1) 人口過密状態による感染症の流行

産業革命時代に都市部で流行した肺結核症に見られるように、感染症の流行は都市型の人口過密状態と大きく関係してきた。日本では東京を中心に一〇〇万人以上の人口を抱える大都市が一二都市、世界では四〇〇に近い大都市が存在する。一方、地方では人口の高齢化と合わせ人口減少による過疎化が進み、地方自治体として存立すら危うい状況になりつつある。新型コロナウイルス感染症が人口過密地域で流行することは当然であり、それを避けるためには過密人口を分散させるための対策が不可欠である。

新しい都市計画を確立していくことは国際的課題でもあり、日本も改めて都市計画を考え直すことを余儀なくされてきた。現在は職場や学校などでもオンラインなどを活用した対人接触しない対応が取られているが、それだけでは人間としての社会生活を維持していくには限界がある。

(2) 自然環境の変化と生活環境の変化

現在は、春夏秋冬の季節変化に応じて室内冷暖房、温水器などにより快適に過ごすことが可能となった。特に地球温暖化により夏の熱中症対策には冷房完備は不可欠となってきた。一般に風邪ウイルスは冬季の低温乾燥環境で活性化されて流行していくが、新型コロナウイルスは他の風邪ウイルスと形態も生態も異なるため、あるいは夏の冷房完備がウイルスの生態に影響を与えているため、夏季になっても流行が沈下しなかった。われわれは新型コロナウイルスの生態が明らかになるにつれ、新興感染症の脅威を改めて認識させられた。

(3) 閉鎖空間での生活、特に飲食と会話

今回の新型コロナウイルスの流行の最も大きな問題は、閉鎖空間におけるクラスターである。日本では第一に、ダイヤモンド・プリンセス号という閉鎖空間における感染拡大か

ら始まった。

第二に、大都市を中心とした夜間飲食街における感染拡大は、狭い閉鎖空間で快適環境を作る空調設備がウイルス粒子の拡散に寄与した可能性が大きい。第三に、家庭内での家族間の感染拡大は避けることが極めて難しい。第一、第二の感染拡大への予防的対応は方法的に可能であり、未だ十分とは言えないが環境改善策は徐々に進められている。将来的に画期的な方策が取られることを期待する。

都会と地方の利点・欠点・接点

(1) 都市化と感染症の流行

現代人の生活の場として都会は便利であり、特に若者の夢や欲求を満たす場として地方は都会に及ばない。しかし、都会での感染リスクは地方に比べて遥かに高いので、都会生活偏重指向を改めようとする人たちも出現してきた。実際に都会から地方に転居している人たちが増えつつある。それは、日本の大都会が海岸線に沿って偏在しており、新型コロナウイルスのみならず、地震や津波などの自然災害の危険地帯から避難するという考え方にも繋がる。いずれにしてもコロナ禍後の都市計画としては、国民の居住環境を改善していくことが重要であり、そのためには大都会の巨大化する人口規模を抑制する政策が不可欠である。

(2) 地方(Rural)の存立危機

私の現在の職場は、三重県津市の美杉町(かつての美杉村、忍者で有名な伊賀市の南に位置する)にあり、かつて南朝時代の後醍醐天皇をお守りするため、北畠親房から始まる北畠一族が、伊勢の国守(現在の三重県北勢・中勢部)として霧山城を背景に栄華を謳歌していた時代もあった。現在は、かつて美杉村の七地域にあった小学校と中学校は子供の激減により一校に統合され他はすべて廃校となった。戦後は人口約二万人と賑やかな町だったが、現在は四分の一以下に減少し、高齢化率は五〇%を超え、美杉町の多くの歴史的な祭りなどの行事も運営が難しくなりつつある。

(3) 都会(Urban)と地域の接点

私は六五歳まで海外生活を除いてほとんど日本の大都会(広島市、大阪市、名古屋市)で生活してきた。その後、三重県の人口過疎地域にある築一六〇年の合掌造りの古民家に住んでいる。過去の縁で都会での大学講義や関連諸会議に定期的に参加しているが、今年度はそれらのすべてがオンラインで開催されている。確かにオンラインの方法は地方に住む者には安全で便利であるが、やはり相手の顔を直接には見ることができないので、不慣れな私には物足りなさが残る。当地に新型コロナウイルスが侵入してくるのも時間の問題ではあるが、ワクチン開発が世界中で着実に進められており、今後も地方がコロナ禍に脅かされる確率は低いと考えている。

コロナ禍は流行開始時の予測を遥かに超え、最も危惧していた経済的ダメージは大きく、飲食業、交通輸送業、観光業など業種によっては営業継続が不可能となる致命的影響を受けた。新型コロナウイルス流行阻止のための医学的対応策は、現代科学の力により、遠からず対応可能と考えている。しかし、私が最も危惧しているのは人々の意識下にある風評の力学である。かつてのハンセン病や労咳（肺結核）のような慢性疾患と流行様相は異なるが、風評による差別問題に悩まされてきた歴史は私たち医師の脳裏に深く刻み込まれている。

私たちはコロナ禍を期に、人々の進むべき新しい生き方を模索しつつあるが、そこには新型コロナウイルスを超える、将来の新たな脅威となる新興ウイルスに対する解決策も含めて考えておく必要がある。第一に、大都市（人口一〇〇万人以上）を分散させて中小都市（五万〜一〇万人）の集合体とし、新興感染症の効果的な流行対策を考える。第二に、海岸地帯で人口過密となっている大都市の人口を少しずつ山地に分散させ、新石器時代からの定期的な巨大地震や大津波の脅威を国策として緩和していく。第三に、都会を縮小して地方再生を図っていくためには、ＩＴ機能を応用した交通・情報輸送方法の合理的開発、つまり安全かつ利便性の高い交通網の開発である。

人類がこれまで構築してきた文明の利便性を捨てることはできないが、猛威を振るう新興ウイルスをはじめとした自然の脅威と人類が共生しながら長く存続していくためには、一見すると、文明を逆行するような妥協もある程度は許容すべきと考えるこの頃である。

終章

新たな春を迎えるために

渡邉誠一

（わたなべ・せいいち）：1967年東京大学工学部修士課程修了、ソニー入社。半導体事業本部長、中央研究所所長、環境担当役員などを歴任。ソニー退任後テルモの理事とともに、カーブアウトファンドを運営するテックゲートインベストメント代表取締役を務める。現在、科学技術と経済の会参与などを務める。

1　パンデミック革命――「世界の構図」を飛躍的に変える

本書は、コロナ禍を契機に「アフターコロナ社会」の諸問題について、各方面で活躍する専門家に心のつぶやきを披露して頂き、今後も予想されるパンデミックの根本的な解決法を提示しようとしたものである。

・世界の構造を変革する「禍転じて福となす」

この多様な提案を「打って一丸となし」、世界の構図を大きく変え、具体的なムーブメントを起こすことを志向したものである。その起点として、中村天風による「経験が新たな思想をつくる」との言葉に深く想いを馳せる。

本書の全体を通して、一般的には、「禍転じて福となす」の諺を実践する機会としたいというのが、著者の方々が諸問題を論じる際の精神的態度であることに勇気づけられている。言い換えると、コロナ禍は、ヒトが現代社会との闘いにより、従来の「世界の構図」を変革する起点とすべきとの認識に収斂（しゅうれん）していることに気づき励まされる。

・日本文化とこころを世界に発信：「パンデミック革命」の実践

自然の営みの中で、「随所に主となり」絆を大切にする、という深い日本文化的なこころの持ちようは、日本人としての潜在的な意識として生きている。それを本書で提案する「スマート・ワーケーション」における「プラットフォーム」の基本として導入し、それを産業として世界に発信し国際社会を動かすことによって、新たな春を迎える準備に取り掛かろう！　これこそが、本書で提案する「パンデミック革命」なのである。

2 「パンデミック」が浮き彫りにした事柄

「パンデミック」が浮き彫りにした事柄は多方面にわたって深刻になっている。生活空間の諸問題をはじめとして、「重さのない経済」の台頭、国家組織と運営の改革とデジタルトランスフォーメーション（ＤＸ）、地方政治における自立した地域社会建設、法規制の限界など枚挙にいとまがない。もちろん医療分野においても、ヒトが生きる喜びに立ち返る医療の意義が再認識され、同時に分散医療の必要性とともに医療と緊急事態体制を国民の手へ取り戻す必要性も強調された。さらには抗ウイルス性食材による抗パンデミック社会の構築も提案された。

そして健康的な生活を呼び込む室内空間づくりとともに住みよいまちのシステムや産業を、地域連携を通じて世界に具現化することもわが国に対する期待として見えてきた。その中でわが国の先人たちが育んできた文化と生き方にある、新たな文明の示唆をよりどころに、企業には「よき企業市民」として世界の経済を立て直すことも喫緊の課題として浮かび上がってきた。

・深刻な生活空間の諸問題

近代文明のもと大都市が発展し、政治・社会・経済などの機能が集中して、ヒトが集まることで、その効率の追求がなされてきた。しかし、この構造が「パンデミック」のような見えない脅威に対し極めて脆弱なことは、ニューヨークや首都圏の惨状が示す通りである。

そこで、住みよい生活環境としてのスマートシティ、働きやすい事業環境としてのテレワーク、健康的な職住一体のワーケーション、そして国民主体の医療体制、強力迅速に働く国家のガバナンスなどなど、各分野の専門家による取組みを、本書で整理することから、新たな生活空間の設計を示そうとしたものである。

3　国家、組織のあるべき姿

・俊敏かつ責任ある国家組織と運営へ

一連の推移を見るとき、コロナ禍に関する総合的理解力と判断力、危機意識とリーダーシップの欠如がみられる。組織とその運営、役割分担、つまりは誰が何を決めるのかが不明確なことが、国家の組織と運営の問題として浮かび上がっている。

・国家組織と運営の改革とデジタルトランスフォーメーションへ

規模が巨大であればあるほど、なおさら組織設計と管理の基本に忠実であるべきとの指摘は重要である。デジタル庁も新設されることになり、政府組織のデジタルによる効率化をはかろうとしている今、民間でも喫緊のデジタルトランスフォーメーション（ＤＸ）は政府にこそ必要である。

4　支え合う医療であるために

・医療と緊急事態体制を国民の手へ

医療の混迷状況は、近代文明の効率化の一環として、本来国民のものであるべき医療が、医療界とそれを管轄する政府の側へ丸投げされ、国民もそれと気づかず依存していることに由来する。医療に関する緊急事態の国民側のマネジメントの欠如と言われても仕方のないところである。

・自己責任、自己判断、自己処置を原則とする分散医療へ

今回危惧されているのが医療体制の崩壊である。面談診察を基本としているわが国の医療制度にも少し風穴があいて、条件によってはオンライン診療が認められたようだが、センサーネットワークを通じて集められたビッグデータを人工知能（ＡＩ）によって活用する時代が到来し、医療界のＤＸも喫緊の課題である。

・ヒトが生きる喜びに立ち返る医療へ

今回のコロナ禍では、重症者に対して人工呼吸器やECMO（エクモ）と言われる高度な医療機器が使用された。その中で何日も死線をさまよった後、生還した人たちからは、その恐ろしさとともに、医療関係者の献身的な治療に対する感謝、そして生きる喜びを感じる日々に生まれ変わった、こころの持ちようの変化が語られていた。まさに医療の本質である。

・抗ウイルス性食材による抗パンデミック社会の構築へ

広範囲の食品や香辛料などに、大きな効果があることが期待されている。特に医食同源として、わが国古来の食品や香辛料に用いられてきた抗ウイルス性食材を日々の生活に取り入れ、社会全体として抗ウイルス力を高めることが、補完代替医療の立場から推奨されてきた。わが国に根付いている自然に学ぶ態度は、世界に発信すべき一つの文化である。

5　快適な生活を呼び込む室内空間づくりへ

今回のコロナの感染には、室内環境が大きく関係することがわかり、寒い中でも頻繁な換気が求められた。効率化を求める中で、強制対流式の空調が支配的となっていたが、対流によってウイルスが室内全体に拡散するようになる。

室内環境を如何に心地よい自然に近づけ、快適にするかを追求する中で、放射（輻射）式の温湿度制御による自然な室内環境の実現が提唱されている。

これらのシステム思考は、「スマート・ワーケーション」の開発にもつながる基本的な精神的態度として留め置くべきである。効率第一から、わたくしたちのいのちを優先した室内環境の実現へ、社会全体としてどのように取り組んでいくかが問われている。

・先人たちが育んできた文化と生き方にある、新たな文明の示唆

新たな文明を興す起点にするために、わが国の先人たちが育んできた文化や生き方に重要な示唆がある。それがこころの中に生きているわたくしたちが、世界に向けて発信し、行動することによって、この革命を望ましい方向へ牽引することができよう。

・住みよいまちのシステムや産業を、地域連携を通じて世界に具現化

わが国においては、その住みやすさを気に入って移住する外国人も増えており、そのような人たちから海外に発信されるわが国の住みやすい面が、インバウンド観光と移住の追い風になっている。このことは今住んでいるわたくしたちは気づかないが、新たな文明の創造へ重要な示唆を与えている。

・世界の経済を立て直す「よき企業市民」

盛田昭夫が提唱し実践した「Good Corporate Citizen＝よき企業市民」としての、企業の世界各地での活動によって、わが国の文化が世界各地域で実践できる。盛田は海外の工場の運営において、従業員や家族の間の絆を強めるために、日本では一般に行われている運動会やお祭りを積極的に開催し、従業員には地域の活動への参加を奨励し、政治問題についても、経済人の間の協力で解決しようとした。経済を担う企業が、世界で政治や社会問題にもよい影響を与えることが、パンデミック革命を進めることになる。

6　新たな理論の構築へ

・分散システムの社会科学

近代は覇権を争う時代でもあったことから、規模の大きなことが優位を生み、国民国家の形成と領土拡張、世界戦争、大企業による経済支配、中央集権的政治体制などによって、物質的豊かさと効率とが追求された。しかし現代では、わが国でいえば県程度の大きさの国が大胆なチャレンジによってユニークな国づくりに乗り出す一方で、大国は国内の分断に混迷を深めることとなっている。産業界においても、ＰＣや通信の分野での分散処理や仮想通貨による分散金融など、大規模一極集中よりも、豊富なインテリジェンス資源を生かした分散システムの優位が目立ってきた。従来の大規模志向に代わって、むしろ規模の小ささを目指す分散システムの理論が求められている。

環境科学の意義は、「自然に学び、自然と生き、自然を一層豊かにする」ことにある。物質的豊かさを追求した近代文明には、自然を征服し利用することを基本とし、「自然を一層豊かにする」という発想は見られない。マクロ哲学で定義されている宇宙に対する実践活動は、まさにこの点において、わが国古来の「自然に学び、自然と生き、自然を一層豊かにする」方向へ、近代文明を転換することを促している。

新しい経済理論においては、「将来世代に喜んで返済してもらえる債務」を組み入れることが有効と考える。私たちは先人たちの営為によるインフラや文化遺産に感謝しつつ生きている。そうだとすれば、教育や社会インフラ、文化遺産などを経済がうまく回らないときの補完として残すべきではないだろうか。それらが、将来の世代が感謝するものであれば、たとえ借金をしたとしても、将来的に彼らが喜んで返済にあたってもらえるお金の使い方であり、正当化できるものと考えられる。これは時間を超えた絆でもある。もちろん、将来に禍根を残すような浪費は許されることではない。

7　解決可能な問題の優先順位を示し、最優先課題を社会に訴える

編者の提案する手法は、ボトムアップアプローチを基本にし、パンデミック革命として、新たな文明創造に踏み出そうという、包括的な指針であり運動にもなる。まず取り組むのは短期的に成果の上げられるシナリオになるが、その実績をもとに、活動の幅と領域を広げていくことになる。

・ボトムアップアプローチによる壮健シニア社会構築のための国民的規模の運動

ボトムアップアプローチによる高齢者の活躍機会の創出、その人間力による新たな産業の創造、地域経済の活性化をはかるべく、公益法人「壮健シニア社会構築協会」を設立し、国民的規模の運動とすることを筆者は提案している。自己の専門的知識や経験を生かして社会に貢献しようという意欲のある人たちが多数いるので、国民的規模の運動としてまず取り組むべき課題と考えている。公益法人として多くの地域の取組みを認定し、支援につ

なげる、また資金源として壮健シニアファンドを創成し、高齢者の活躍の場を提供することを提案している。

・わが国各地域と世界各地域の連携による抗パンデミック社会と新たな文明の創造

スマートシティを産業化し、教育も国際化することが、経済的文化的連携協力の推進力になる。その際にプラットフォームを用意し、その上でプレイヤーの活動と連携の容易化をはかることである。

さらにはNGOを立ち上げ、国連の認定NGOとして世界的にパンデミック革命を進めることを想定している。

・バックボーンとしての「魂の進化」

わが国では、先人たちが育んできた、平和で豊かな社会と文化を享受しているわたくしたちが、今や自らを奮い立たせ、世界へ向かって、自己犠牲を厭わない働きが求められている。先人たちはそれと気づかずともわたくしたちの中に生きていて、判断や行動の指針になっている。そしてその記憶は日々新たに蘇っていることを感じている。

わたくしたちの生き様は、志を継ぐ将来の世代の中に生きて、その指針となっていくのである。時を超えたこの絆の働きこそ「魂の進化」であり、その進化の果てに、真の世界平和、自然の中での人類のいのちの保証が実現される。このコロナ禍を、わたくしたちがわが国発の、新たな文明を興す「パンデミック革命」とすることに志し、その起点としたいと思う。そこにわが国の文化を生きる喜びが湧き起こるのである。

おわりに

合田周平

この本は「コロナ禍」にあっても、従来にもまして自分の仕事を立派にこなしておられる方々を執筆者にお願いした。はじめは、バラバラな職業感覚をもつ著者の混合作品になることを危惧して取り掛かった。

しかし、この恐れは取り越し苦労であった。ヒトのすべてが同時に新型コロナウイルスの襲来を受けたという、ヒト社会の世界的な同時経験のためだろうか。それぞれの筆者による、異なる切り口からの議論も、相互に化学反応を起こして、自ずと共感を呼ぶ思考領域に落とし込まれていることに、書き手の心の豊かさを実感し共感することができて楽しい作業だった。この素晴らしさは、日本文化という「生活の情味」の集積なのかもしれない。

先ずは、筆者の方々、関係者に厚く御礼申し上げたい。多数の著者による思考が、こうもヒトに優しい領域に収斂（しゅうれん）することを実感したことは、私にとって初めての経験であり、日本人の優しさと強さを確認することとなった。

文化は、ヒトの棲む地球に誕生した。そして今日まで、異なる多くの文化圏を生み出してきた。そのプロセスで、ヒトのモノへの探究心が科学を育み、そのパワーが数々の異文化をも包み込む大きな波となって、地球上の幾つかの地域を覆いつくしたのだ。その結果として、ヒトを文明社会づくりに駆り立てる精神的態度が、「世界の構図」として定着した。

近代社会は、「大きいことはいいことだ」という社会的信念の成果といえるだろう。つまり、この路線に従って「世界の構図」がつくられてきた。具体的には、金融や産業など、ヒトの関わる如何なる組織も、時代とともにどんどんと大きな集団となってきた。

この急激な拡大化路線の弊害として、世界の多様な領域に大小さまざまな波風が生じてきた。これを鎮めるには「世界の構図」を、一極集中の巨大化路線から「分散化への路線」に書き換えるべきだと、ヒトが何となく気づき始めたのではないだろうか。現代という時代は、ヒトの高齢化による「まだら認知症」のような状態に陥っていると言えるかもしれない。

こうした認識から、編者として強いての願いは、「コロナ禍」を契機にして生まれた本書を手にされた読者の皆さま方に、何よりも大いなる感謝の念を捧げるとともに、その心に次の三項目をくみ取って頂きたい、ということである。

第一に、ヒト社会には互いが理解可能に至る「考える領域」が、必ず存在するとの信念ある生活態度をもってもらいたい。こうして、自己の生き方に徹する精神的態度としての「一人称の哲学」が、信念として心に宿る。そのためにも、日々に「生活の情味」を味わうことが肝要である。

第二は、現代の「世界の構図」を、あらゆる領域において、「分散型の構図」に変えることだ。この三〇年来、こうした傾向が、とりわけ産業分野で見え隠れしてきた。情報通信（ＩＣＴ）を基盤とした産業などが、その先進的な例だろう。

この流れを、金融をはじめ多くの分野で具現化することである。脱近代化は、「分散化システム」へ「世界の構図」を書き換えることで実現するのである。

第三は、新たな「産業の創出」と発信。その具体例として、本書では「プラットフォーム産業」を提唱し、その具体例として、「スマート・ワーケーション」の場づくりを提案している。

これらのことは序章から終章に至るまでの論調を、「打って一丸」とすることから浮かび上がるイメージを基にしたものである。ここで改めて、序章の図表をご参照頂くと、よりよく理解して頂けるだろう。

終わりに、本書誕生の経緯について触れたいと思う。

「平成の30年間、日本は敗北の時代だった」という衝撃的な小林喜光さんのインタビュー記事（朝日新聞、二〇一九年一月三〇日）の言葉を、拙著『つながる力』（ＰＨＰ研究所）のはじめに引用させて頂いたことに始まる。

その後、懇談の折に「アフターコロナ」社会の問題点が話題となり、小林さんと私の「呼びかけの言葉」で原稿をお願いし本を出版することとなる。それが今日、夏の訪れとともに校了に至った。スタートは二〇二〇年、コロナ禍中の猛暑のことであった。

この間、経験したことのない事態に遭遇しつつも、お陰にて本書の誕生に漕ぎつけることができた。この幸運は、ひとえに原稿を寄せられた皆様方の長年に亘る大らかな友情と、心豊かな忍耐力の賜物と感謝したい。

さらに、昨年の拙著『中村天風　快楽に生きる』の編集を担当された、幻冬舎の杉浦雄大さんの本書によせるご理解とご協力に心から感謝したい。

二〇二一年六月　東京・二子玉川にて

合田周平

パンデミック革命

2021年7月5日　第1刷発行

著　者　合田周平ほか
発行人　見城 徹
編集人　福島広司
編集者　杉浦雄大

発行所　株式会社 幻冬舎
〒151-0051　東京都渋谷区千駄ヶ谷4-9-7

電話　03(5411)6211(編集)
03(5411)6222(営業)
振替　00120-8-767643
印刷・製本所　中央精版印刷株式会社

検印廃止

Printed in Japan
ISBN978-4-344-03786-1　C0095
幻冬舎ホームページアドレス　https://www.gentosha.co.jp/

この本に関するご意見・ご感想をメールでお寄せいただく場合は、
comment@gentosha.co.jpまで。